KB156207

장 공의 체면

蔣公的面子

중국현대희곡총서 8

蔣公的面子

장 공의 체면

원팡이(溫方伊) 지음

장희재 옮김

연극과인간

『중국현대희곡총서』 발간사

20세기 초 중국도 우리와 마찬가지로 일본을 통해 서구 현대극을 수용하여 한 세기 남짓한 역사를 꾸려왔다. 그러나 1950년 차오위曹禺의 〈뇌우〉 공연으로 서울 장안이 들썩거린 후, 1992년 중국과의 수교가 이루어질 때까지, 체제와 이념의 차이로 인해 우리 연극사에서 중국희곡은 오랫동안 금기에 속해왔다. 실제로 우리 연극계와 중국의 연극 교류는 1993년 강소성곤극원의 내한공연에서 비롯되어, 1994년 제1회 베세토연극제로부터 공식화된 플랫폼을 확보하고 지금까지 꾸준히 교류를 지속하고 있다. 그런데도 어쩐 일인지 우리 연극계에서 중국연극은 아직도 뭔가 낯설게 느껴진다. 중국과의 교류가 문화보다는 경제에 치우쳐 있었고, 일본어나 다른 서구 언어들에 비해 중국어가 낯설기도 했고, 연극계의 관심이 서구 연극에 경도되어 있었기도 하다. 또한 우리가 중국의 고전 문화를 잘 계승, 공유하고 있다는 자부심 때문에 현대 중국의 문화를 이해하기 위한 노력을 소홀히 해 온 것도 사실이다.

이제라도 현대 중국인의 삶을 담은 희곡들을 차근차근 우리 앞에 불러오고자 한다. 지금까지 차오위, 티엔한(田漢), 라오서(老舍), 샤옌(夏衍), 천바이천(陳白塵) 등 20세기 전반기의 희곡들이 일부 소개되었을 뿐, 신중국 이후의 작품은 거의 소개되지 않았다. 우리는 『중국현대희곡총서』를 통해 신중국 이후 특히 문혁 이후 신시기 작품들을 중심으로 우수한 희곡을 선별하여 소개하고자 한다. 또한 홍콩, 대만 등 중국어권 지역의 동시대 희곡들에도 지속적인 관심을 가질 것이다. 이 중 우리의 정서에 맞고 공감할 수 있는 작품이나 창의성이 돋보이는 작품들이 우리 연극인들에 의해 재해석되어 무대화되기를 기대한다. 그래서 늦었지만 '한중연극교류협회'를 조직하여, 출판과 함께 '중국희곡 낭독공연'도 기획하였다. 실제 무대에서 관객과 잘 만날 수 있는 번역이 되도록 공을 들였다.

다만 실제 총서 작업에는 큰 어려움이 따랐다. 1차로 10종의 출판을 계획하고, 중국 현대희곡 번역 경험이 많은 김우석, 장희재 선생과 함께 작품 선정과 번역을 진행하였다. 그러나 중국 각지에 흩어져 있고 심지어 미국에 거주

하는 열 분의 작가를 하나하나 찾아내어 판권 계약을 하고 사진을 받는 과정은 많은 시간과 에너지를 필요로 했고 결국 두 분은 동의를 보류하여 8종만이 출판되게 되었다. 그럼에도 불구하고 그 과정에 작가들뿐 아니라 많은 중국 연극계의 지인들이 도움을 주셨다. 쉬샤오중(徐曉鐘), 류핑(劉平), 뤼샤오핑(呂效平), 왕쿠이(王馗), 야오원핑(姚文平) 선생들께 감사를 표한다. 늘 연극인의 벗으로 함께 해 온 도서출판 연극과인간 박성복 사장님이 이번에도 흔쾌히 출판에 응해 주셨고, 한병순 이사가 많은 수고를 해 주셨다. 주한중국문화원도 총서 출판을 적극 지원해 주었다. 모두에게 큰 감사를 표한다.

새로운 평화의 아시아 시대를 기원하며, 『중국현대희곡총서』의 출판이 우리 연극 무대에 아시아적 감성의 레퍼토리 계발과 함께 우리의 예술적 창의 도출에도 기여할 수 있기를 바란다.

2018년 5월

역자 대표 오수경 삼가 씀

차례

장 공의 체면
(蔣公的面子)

© 吕效平

© 吕效平

© 牛华新

배경

1967년 여름, 남경(南京)[1]

1943년 겨울, 중경(重慶)[2]

등장인물

하소산(夏小山)	남, 50세, 국립중앙대학교[3] 교수
시임도(時任道)	남, 50세, 국립중앙대학교 교수
변종주(卞從周)	남, 45세, 국립중앙대학교 교수
시임도 처	여, 45세, 시임도의 아내
노년의 하소산	남, 74세, 대학 교수
노년의 시임도	남, 74세, 대학 교수
노년의 변종주	남, 69세, 대학 교수

극에서 언급되는 매암(梅庵) 선생은 양강사범학당의 총장이자, 중국 근대 저명 교육자이자 화가, 서예가.

---

1 [역주] 남경은 국민당이 집권했던 중화민국 시기 수도이다. 1949년, 공산당이 집권하며 신중국 건국을 선포하고 수도를 베이징으로 옮겼다. 1967년은 문화대혁명(이하 약칭 문혁)이 발생한 이듬해이다. 문혁은 마오쩌둥이 권력투쟁을 위해 어린 홍위병들을 동원하여 일으킨 극좌 사회운동으로 10년간 지속되었다. 낡은 사상 · 낡은 문화 · 낡은 풍습 · 낡은 습관을 타파하라는 지시 아래, 부유한 자와 관리, 지식인들을 무분별하게 탄압하고 숙청하였고, 이로 인해 중국 사회는 극도로 경직되었다.

2 [역주] 중일전쟁이 발발하고 남경이 함락되자 장제스는 수도를 중경으로 옮겼다.

3 [역주] 남경대학교의 전신(前身), 중화민국 시기 최고의 명문 대학.

1

1967년 어느 여름, 남경대학교 문혁루(文革樓) 건물.

무대 한쪽 벽에는 '모든 반동분자를 처단하자(橫掃一切牛鬼蛇神)'라는 표어가 붙어 있다. 노년의 시임도가 방안에서 자아비판 글쓰기에 몰두하고 있다. 갑자기 문이 열리고 노년의 하소산이 들어온다. 노년의 시임도는 종이와 연필을 쥔 채, 반사적으로 일어나 노년의 하소산 앞에 고개를 숙인다.

노년의 시임도 금방 됩니다. 곧 다 쓴다고요.

노년의 하소산 날세, 임도.

노년의 시임도 하소산? 자네 어떻게 왔는가?

노년의 하소산 난 바로 자네 위층에 갇혀 있어.

노년의 시임도 누가 자넬 보냈나? 그들인가?

노년의 하소산 그 사람들…… 다 안 보여. 새벽에 일어나 보니 한 명도 안 보여. 한밤중에 소란스럽던데, 자넨 들었나?

노년의 시임도 들었지. 무슨 일인가?

노년의 하소산 나도 모르겠어, 자네 안 나가봤어?

노년의 시임도 못 나가겠더라구, 숨기에도 바빠서.

노년의 하소산 남부에 있는 '홍총'부대[4]가 문혁루를 공격

한다는데.

노년의 시임도 그럼 우린 어떻게 하나?

노년의 하소산 우리가 겁낼 게 뭐 있어? 누구한테 잡혀도 우린 그저 반동분자의 무리야.

노년의 시임도 어떻게 겁이 안 나. 자네 얼른 방으로 돌아가게. 저들한테 들키면 또 우리더러 말 맞추고 있다고 그럴거야. 그럼 더 곤란해진다구.

노년의 하소산 나 자네한테 한 가지만 물음세.

노년의 시임도 됐어, 나가게.

노년의 하소산 딱 한 마디만.

노년의 시임도 안 들어, 안 듣는다구! 이러다 들키겠어.

노년의 하소산 지금 아무도 없다니까, 한 마디만 묻자구.

노년의 시임도 ……

노년의 하소산 57년에 자네가 우파로 몰렸던 건 나와 상관없는 일이야. 자네랑 사이는 안 좋았지만, 난 한번도 남을 고발한 적 없어.

노년의 시임도 벌써 몇 마디를 했는가, 나가게.

노년의 하소산 아직 할 말 다 못 했어.

---

4 [역주] '홍총', 홍색조반총대(紅色造反總隊)의 약칭. 문혁 당시 남경에는 홍색조반총대와 827 부대, 두 파벌의 홍위병이 있었고, 갈등이 빈번했다.

노년의 시임도 난 자네가 여기 있는 게 겁나, 얼른 가게.

노년의 하소산 자네 원한 때문에 보복하지 말게나. 내가 언제 장개석과 밥을 먹었나?

노년의 시임도 누가 빌어먹을 장재수[5]와 자네가 밥을 먹었다고 했나? 난 그저 우리가 장재수의 초청장을 받은 적이 있다고 그랬지.

노년의 하소산 뭐라구?

노년의 시임도 장재수가 우리 학교 총장 했던 적 있지 않나?

노년의 하소산 장개석은 중앙대학교 총장 고작 일 년 했어. 그 중 반 년은 내가 있지도 않았네.

노년의 시임도 그 사람이 초청해서 우리 밥 먹었어.

노년의 하소산 그 사람이 언제 우릴 초청했나?

노년의 시임도 막 총장으로 올 때였지, 1943년 설.

노년의 하소산 그가 왜 명절에 우리 중문과 교수들을 불러다 식사를 하나?

노년의 시임도 그가 총장으로 온다니까 몇몇 교수들이 서남연합대학(西南聯合大學)[6]으로 옮기려고 했거든.

---

5 [역주] 원본에는 장가이스(蔣該死)로 되어 있다. 장개석의 중국식 독음 '장제스'와 비슷한 음을 이용한 욕설로 '죽일 놈'의 뜻이다. 번역본에서는 '장재수'로 번역하였다.

교수들을 붙잡아야 되잖아.

노년의 하소산 말이 안 되지, 그럼 교수 전체를 초청해야지, 왜 우리만 초청하나?

노년의 시임도 자네가 하소산인 걸 어쩌겠나.

노년의 하소산 난 처음 듣는 얘기야. 난 그때 곤명(昆明)에 있었어.

노년의 시임도 자네 분명히 중경에 있었네.

노년의 하소산 난 운남대에 있었어.

노년의 시임도 자네 반 년만 하고 1월에 바로 돌아왔어.

노년의 하소산 ……

노년의 시임도 자네 빨리 가게.

노년의 하소산 그랬었나?

노년의 시임도 그랬네.

노년의 하소산 이 일은 내 정치 생명과도 관계가 있어. 되는 대로 말하면 안 돼.

노년의 시임도 난 아주 똑똑히 기억한다구. 반혁명분자 변종주가 메뉴에 절인 돼지 두부 요리가 있다면서 최선을 다해 자네를 설득했지.

---

6 [역주] 항일전쟁 시기 운남 곤명(昆明)에 세워진 대학으로, 전시(戰時) 상황에서 교육을 계속하기 위해 북경대학, 청화대학, 남개대학 등이 연합하여 세운 대학.

노년의 하소산 절인 돼지 두부 요리?

노년의 시임도 부자묘(夫子廟)에 있는 노정흥(老正興)에서 먹었잖아.

노년의 하소산 부자묘 노정흥에 그 요리가 어디 있어.

노년의 시임도 변종주가 그랬잖아. 그 날 요리사가 도장의(屠長義)라고, 노정흥의 간판요리사. (하소산이 고개를 젓자) 자네 좋은 자리에 너무 많이 불려다녔어.

노년의 하소산 내가 아무리 모임을 많이 갔어도 어느 집 무슨 요리인지 헷갈리진 않아.

노년의 시임도 그 요리는 그 사람 평소에 잘 안 해.

노년의 하소산 도장의야 내가 아주 잘 알지, 그가 생선 요리 잘하는 건 누구나 알지. 근데 그가 무슨 두부 요리를 하나?

노년의 시임도 그 요리 맞아, 아마 내가 주방장을 헷갈렸나 보지, 하지만 변종주는 바로 절인 돼지 두부 요리로 자네를 유혹했어.

노년의 하소산 유혹?

노년의 시임도 자네가 미식가라는 걸 누가 모르나?

노년의 하소산 그건 사실상 불가능하네, 난 당시 중경에 있지도 않았어, 그 해 설날을 곤명에서 보낸 게 기억나는데. 우리 옆집이 폭격을 받아 무너졌었어.

노년의 시임도 그건 1942년이고. 자네 42년 설은 곤명에서 쇠었네, 43년엔 중경에 있었구.

노년의 하소산 그래?

노년의 시임도 조금도 기억이 안 나나? 당시에 찻집이었고, 우린 장개석의 초청에 대해 논의했지, 변종주는 초청장까지 들고 왔고.

노년의 하소산 난 분명 참석 안 했어.

노년의 시임도 왜 안 했어. 잘 생각해 보게, 24년이 그리 길지도 않으니.

무대 중앙이 밝아진다. 찻집 한 귀퉁이이다. 벽에는 '공습이 잦은 관계로, 손님들께서는 선불해주세요. 정부 조치에 따라 국정 논의를 금합니다'라고 써 있다. 가운데에는 낡은 나무 탁자와 등나무 의자 세 개가 놓여 있다.

노년의 시임도 당시 국립중앙대학교는 중경 송림파(松林坡)에 있었지, 전부 대나무와 진흙으로 지은 가건물들이었어. 주위엔 밥집과 찻집이 꽤 있었지. 자넨 그때 매일 수죽(脩竹) 찻집에 있었어.

노년의 하소산 그랬지.

노년의 시임도 중경의 찻집들은 이런 등나무 의자가 많았지. 벽에는 모두 '공습이 잦은 관계로, 손님들께서는 선불해주세요. 정부 조치에 따라 국정 논의를 금합니다'라고 붙어 있었고.

노년의 하소산 맞네.

하소산 등장. 새치가 있는 약간 긴 머리를 뒤쪽으로 가지런히 빗어 넘기고 푸른 색 장삼을 입고 회색 목도리를 둘렀다. 어깨가 살짝 굽었고, 행동은 시원스럽다. 탁자 옆으로 가서 앉아 품에서 책 한 권을 꺼내 읽기 시작한다.

노년의 시임도 이게 자네야.

노년의 하소산 나로군.

시임도 빠른 걸음으로 등장. 낡은 옷을 입었고, 엄숙해 보인다.

노년의 하소산 이건 자네로군.

암전.

2

1943년, 중경 송림파 수죽찻집.

시임도는 하소산을 보고 걸음을 멈춘다. 잠시 바라보다 몸을 돌리려는 찰나, 하소산도 그를 발견한다. 노년의 하소산과 노년의 시임도 퇴장.

하소산 새해 복 많이 받게나.

시임도 새해 복 많이 받으시게.

하소산 오늘은 무슨 바람이 불어 자네가 찻집엘 다 오셨나?

시임도 자네는 매일 와도 되고, 나는 하루도 안 되나?

하소산 일이 있는가?

시임도 친구를 만나기로 했네.

하소산 그렇군.

시임도 날이 정말 춥군.

하소산 어제보다 더 춥네.

시임도 응. 갈수록 더 추워.

하소산 계속 책을 본다.

시임도 시험문제 다 냈나?

하소산 시험도 다 안 보기로 했는데, 무슨 시험 문제를 내나?

시임도 고맹여(顧孟餘) 총장이 이번에 뒤흔든 걸로 학교가 난장판이군, 시험도 전부 연말로 미뤄지고, 어제 학생들이 또 행정원에 가서 청원을 했네.

하소산 소용없어.

시임도 학생들이 들고 일어나면 국면이 바뀔지도 모르지.

하소산 고맹여 총장 이번에 마음 단단히 먹었네. 심신이 지친 게 아니라면, 칭병불출할 리 없어.

시임도 총장하기 참 어렵군.

하소산 나가윤(羅家倫)이 총장을 10년 했는데 떠날 때 송별회 한번을 안 했지. 가고 난 뒤에야 그가 잘했던 일들이 보였지, 지금 또 그렇군.

시임도 하지만, 장개석이 총장을 하는 건 너무……

하소산 장 공이 군사학교 총장직을 오래 하더니, 아무 학교 총장이나 다 할 수 있다고 생각하나 보네.

시임도 학생을 죽인 사람이 교육관리를 맡다니, 정말 말이 안 돼.

하소산 장 공의 학식으로는 군사 학교 교장은 가능하지, 대학교 총장은…… 허허.

시임도 그 사람이 중대 총장이 되면, 중대는 국민당 학교가 되던가 아니면 군사 학교가 될 거야. 독재자한테 '자유로운 학술 분위기'가 어디 안중에나 있겠나.

하소산 난 '학술 자유'는 걱정하지 않네, 학술을 모르는 사람은 간섭을 하고 싶어도 어떻게 간섭할지도 모를 텐데 뭐.

시임도 자네 초청장 받았는가?

하소산 무슨 초청장?

시임도 장 공이 보낸 초청장.

하소산 받았네.

시임도 가나?

하소산 자네는 가나?

시임도 그 사람 체면 봐 줄 일 있나.

하소산 장 원장[7]을 받드는 사람들도 있어.

시임도 변종주 같은 어용 학자겠지.

하소산 그 사람 그 정도는 아니야.

시임도 난 신줏단지 모시듯 장개석의 붓글씨를 집에 걸어 둔 교수는 여태껏 못 봤어.

---

7 [역주] 장개석은 9년간 국민당 정부의 행정원 원장을 역임했다.

하소산 하지만 그건 그 사람의 가장 진귀한 소장품일세.

시임도 그 사람 곧 집을 '장공관(蔣公館)'으로 바꾸겠네 그려. 그런 사람이 어떻게 우리 학교로 섞여 들어온 겐가?

하소산 그 사람 그래도 학식은 훌륭한 편이네.

시임도 (냉소하며) 그건 장개석이나 그렇게 생각하겠지, 그러니 그 사람한테 황태자 교육을 맡긴 게지.

하소산 진짠가?

시임도 진짜구말구. 아들 가르치는 거, 속일 거면 제대로 속이던가, 으스댈 거면 아예 내놓고 하든가. 그 사람처럼 아닌 척하면서 으스대는 사람, 제일 흥미 없네.

하소산 '심호애의(心乎愛矣)'하나, '외인지다언(畏人之多言)'이로니[8], 마음 속으로는 사랑하나 구설수가 또 겁이 나는구나.

시임도 말이 좋구먼, 그 사람 한번 애기해보고 어떤 인물인지 바로 알았지, 게다가 눈치도 없어서 마주칠 때마다 다가와서 끊임없이 말을 건다구.

8 [역주] 시경(詩經)의 한 구절

하소산 웃는다.

변종주 등장. 검은 머리에 시임도보다 조금 더 잘 차려 입었다. 보기에 깔끔하고 활력이 넘친다.

변종주 하 선생님, 새해 복 많이 받으세요. (시임도 몸을 일으켜 가려고 한다) 시 선생님, 시 선생님도 찻집에 오시기 시작하셨군요?

시임도 루지초(樓之初)와 약속이 있어서.

변종주 그래요? 이거 참 공교롭네요. 저도 막 그 사람을 찾던 참인데. 아! 하 선생님도 마침 여기 계시니, 루 선생님 오시면 같이 마작 한 판 하는 거 어때요?

하소산 (고개를 들고) 좋지요.

시임도 중경 마작 규칙을 모르오.

변종주 누가 중경 마작을 하나요. 기다려 보세요. 마침 제가 여기 한 벌 가져다 놨어요. (퇴장)

하소산 (책을 챙기며) 마침 답답하니 몇 판 하세나.

시임도 (나가며) 저런 부류와는 교류 안 하네.

하소산 (가로 막으며) 에이, 마작 몇 판 가지고 뭘 그러나.

시임도 중간에서 이러는 사람들 난 정말 이해가 안 가네.

하소산 요 몇 년간 마작은 좀 늘었나?

시임도 (고개를 저으며) 아직 찻집에서 마작을 해 본 적은 없네.

하소산 예전에는 항상 자네 집에서 마작을 했지, 제수씨 마작 참 잘하지, 성격은 더 좋고.

시임도 십 년도 더 된 일을 아직 기억하나.

하소산 기억하지. 자네가 하사한 은덕을 먹고, 내가 쌍칠패(雙七牌)를 하지 않았나.

변종주 상자 하나를 들고 등장, 탁자 위에 놓는다.

변종주 (상자를 열며) 자.

하소산 (마작패를 집어 자세히 보며) 상아로군.

변종주 대나무에 상아를 상감한 것이지요. 상자가 좀 아쉬워요. 원래는 화리 나무로 만든 거였는데, 너무 무겁고, 자리도 차지해서 피난다닐 때 어쩔 수 없이 버렸어요.

하소산 피난 다닐 때도 마작을 가지고 다녔어요?

변종주 길에서 심심하잖아요, 답답함도 좀 풀 수도 있고.

하소산 책이랑 서화는 집에다 다 두고 갔으면서, 마작은 챙겨갔군요.

변종주 제 딸래미는 인형도 들고 갔는걸요. 피난 다닌 경험이 없어서.

하소산 그런 경험은 적을수록 좋지요.

변종주 꽤 석습니다? 오랫동안 못 뵈었더니, 시 선생님은 많이 마르셨어요. 아프세요?

시임도 지금 후방전선 상태를 보고 있자니, 병이 없다가도 생길 것 같습니다.

하소산 일 때문에 루지초를 찾으시나?

변종주 일은 아니구요. (품에서 편지 봉투 하나를 꺼낸다) 방금 초청장을 받았는데, 루 선생님과 상의를 좀 하려구요.

하소산 늘 몸에 지니고 다니시는군요.

변종주 그냥 손에 잡힌 거지요.

시임도 보아하니, 변 선생님은 장 원장의 연회에 가실 모양입니다.

변종주 시 선생님도 초청장 받지 않으셨나요?

시임도 어떻게 아십니까?

변종주 안 가져오셨어요?

시임도 그냥 손에 잡히지가 않아서 안 가져왔습니다.

변종주 가십니까?

시임도 명절에는 전 항상 가족들이랑 먹어서요, 장 원장님 신세 안 지렵니다.

하소산 국정 논의는 안 됩니다.

변종주 이게 무슨 국정 논의입니까.

하소산 장개석, 그리고 장개석과 관련된 일, 어떻게 국정 논의가 아니오? (객석을 흘끗 보고) 다들 쳐다보잖아요.

변종주 (같은 쪽을 보면서, 미간을 찌푸리며 한숨 쉰다) 너무 조심하십니다.

시임도 요즘 세상에 너무 조심하는 게 문제가 아니라, 조심 안 하는 게 문제지요. (같은 쪽을 한 번 보고) 엿듣는 사람이 있나요?

하소산 천리 밖도 듣는다는 〈서유기〉의 순풍이(順風耳), 학교에서 자주 보지요.

시임도 원래 〈서유기〉 순풍이는 그렇게 부지런하지 않은데.

변종주 요즘 간사한 거짓무리들이 많아지니, 순풍이도 자연 부지런해질 수 밖에요.

시임도 괜히 야단들이지. 간사한 거짓무리가 대체 뭐요? 환남사변(皖南事變)[9] 이후로, 정부는 그나마 하던

---

9 [역주] 중일전쟁이 일본군과의 대치 단계에 진입한 후, 장개석은 항일에는 힘을 쓰지 않고 오히려 공산당의 항일 무장군인 팔로군(八路軍)과 신사군(新四軍)을 견제하고자 했다. 1941년 국민당은 국민당이 지정한

거짓 포장조차 안 해요.

변종주 괜히 야단은 아니지요. 그 사람들도 먹고 살아야 되는데. 일전에 토목과 학생 몇이 붙잡혔잖아요? 정심찻집에서.

하소산 뭐 때문이래요?

변종주 비밀회의를 했다는군요.

시임도 우리도 지금 비밀회의를 하고 있으니, 언제 붙잡혀 갈지 모르겠군요.

하소산 국정 논의는 금지됐으니, 우리 마작이나 합시다.

변종주 하 선생님은 장 공의 초청장 받았어요?

하소산 보아하니 장개석이 총장으로 오는 건 이미 기정 사실이군요.

시임도 돌이킬 수 없는 건 절대 아니지요.

변종주 설마 고(顧) 총장을 만류하실 겁니까?

시임도 그래야지요. 장개석이 어떻게 중앙대 총장을 맡아요.

변종주 고 총장이 안 남을 것 같으니 걱정이지요. 요 몇 년간 중대 총장 바뀌면서 얼마나 많은 풍파를 겪

노선을 따라 이동하던 신사군을 공격하여 신사군 3000여 명이 죽고, 3600여 명이 사로잡히거나 실종되었다. 이에 중국인들은 분개하였고 국민당으로부터 민심이 돌아섰다.

었나요. 나 총장이 떠나기 전부터 중대에는 일이 많았지요. 교원 파업에다, 학생들 탄원에다. 고 총장이 어렵게 성과를 내고, 학교가 정상궤도를 찾나 했는데, 겨우 일 년 남짓 만에 또 총장을 바꿔야 한다니요. 장 공이 총장이 되서 학교가 안정될 수만 있다면, 좋은 일일 수도 있지요.

시임도 좋은 일이요? 중대의 자유로운 분위기는 벌써 많이 사라졌어요.

변종주 장 공이 어디 중대 일에 관여할 정신이나 있겠습니까. 취임하면 어쩌면 더 자유로워질지도 몰라요.

시임도 그가 관여한 일에 어디 자유로워진 게 있나요? 꿈 깨세요.

변종주 자유는 상대적인 거죠. 교육은 상대적으로 이미 많이 자유로워졌어요.

시임도 몇 십 년째 강단에 서지만, 대학 교육이 가장 불합리하단 생각밖엔 안 드오. 이 자유가 어찌 큰 실패가 아니겠소.

변종주 교육이 불합리한 건 여러 문제가 복합된 것이지, 문제를 모두 자유롭지 못한 걸로 귀결시킬 수는 없습니다. 요즘 사람들이 너무 자유를 따져서 오히려 불합리해지는 거라구요.

시임도 불합리함은 자유를 너무 따져서 야기된 게 아니라 도덕과 염치를 무시한 자유만 찾기 때문이오, 그런데 사상과 언론 자유는 극히 제한되어 있소.

변종주 '자유'가 무슨 만병통치약도 아니고, 며칠 사이에 이룩할 수 있는 것도 아니죠.

시임도 며칠이 아니라 몇 십 년이오.

하소산 장 공은 몇 십 년이 하루 같지요.

시임도 조금도 나아지지 않았어.

변종주 왜 나아지지 않았습니까? 정치도 나날이 개방되어 가고 있지 않습니까?

하소산 교육 얘기 하고 있으니, 정치 얘긴 하지 마시구려.

변종주 정부는 교육에 최선을 다하고 있어요. 장 공은 줄곧 지식인들을 존중해왔고, 전쟁이 난 이 판국에도 교육비는 한번도 중단한 적이 없습니다. 교수들은 모두 지원을 받고……

시임도 교육은 정부의 책무요, 그가 지식인들을 존경해서 가둘 사람은 가두고, 교육을 중시해서 국민당 교육을 강요하고……

변종주 중국에는 중국에 맞는 실정이 있습니다. 너무 자유로운 것도 좋은 일은 아니죠. 그리고 지금은 전

시 상황 아닙니까. 정부는 좋아지고 있어요, 수감됐던 정치범들도 많이 풀렸나지 않았습니까? 진중보(陳仲甫) 선생이 출소하던 날, 시 선생님도 마중가셨잖아요?

하소산 교수들에게 보조금이 지급되지요. 그런데 몇 년 동안 보조금도 변함이 없고, 월급도 변함이 없는데, 물가는 몇 십 배가 올랐네요.

변종주 어떻게 정부가 모든 일을 완벽하게 하길 기대합니까……

시임도 하물며 부패한 정부한테.

변종주 정부가 물론 부패하긴 했어도, 매년 좋아지고는 있어요.

하소산 (참지 못 하고) 국정 논의를 금합니다. 국정 논의는 하지 맙시다.

변종주 장 공이 총장이 되면 분명 교육장을 따로 임명할 거예요. 총장은 그저 이름뿐인 것이지요. 훈화 몇 마디하고, 시찰 몇 번 할 뿐이지, 업무도 맡지 않을 텐데, 무슨 상관입니까?

시임도 관건은 바로 그가 어떤 사람을 교육장으로 임명하는가이지요. 만약 복단대 총장 오남헌(吳南軒)을 임명한다면, 중대는 그냥 망하는 거지! 청화대에서 쫓겨난 당의 앞잡이를 중대가 왜 받아들여야 합니까.

변종주 나가윤(羅家倫)도 청화에서 쫓겨난 걸 중대가 받아들였잖아요. 나 총장이 중대에서 세운 공로는……

시임도 그건 다릅니다.

변종주 전 오히려 그리 걱정할 필요 없다고 봐요. 정말 오남헌이 온다 해도 중대에서 얼마 못 버틸 겁니다. 장 공이 아무리 독단적으로 한다 해도 학교 전체 학생과 선생들의 항의를 무시할 만큼 어리석진 않아요.

시임도 그는 중대 총장을 하려고 할 정도로 이미 어리석어요.

변종주 그가 총장을 하는 건 학술 방면은 그다지 적합하지 않아도, 행정 쪽으로는 매우 적합해요.

하소산 장 공은 귀하신 몸이라 너무 바쁘실 텐데, 중대 일까지 신경 쓰실 필요 없지요.

변종주 장 공이 신경 쓰고 안 쓰고 뭐 우리가 말한다고 될 일도 아니지요. 우리가 불만이 있다 해도 장 총장은 늘 그래왔듯 학교 전체의 열렬한 환영 속에 취임할 거예요.

시임도 예전엔 선생과 학생이 불만이 있으면 총장을 내보낼 수 있었는데, 앞으로도 그럴까?

변종주 왜 그렇게 비관적이세요? 듣자하니 학생들은 미친 듯이 좋아한다던데요.

시임도 미친 듯이 좋아해요?

변종주 예상 밖의 일이라서 그렇다는군요.

시임도 정말 예상 밖의 일이지요. 말씀하시는 게 삼청단(三靑團)[10] 학생들이지요?

변종주 장 공이 총장이 되면 중대가 전국최고 학교라는 것도 확실히 어필하는 거죠.

시임도 루즈벨트가 하버드 총장이 아니고, 처칠도 캠브리지 총장이 아니지만, 하버드는 그래도 하버드이고, 캠브리지는 그래도 캠브리지입니다.

하소산 됐어요, 됐어. 어차피 상황을 바꿀 수 없는 거라면 말 많이 해봤자 소용없지.

변종주 그럼 다시 돌아가서, 두 분은 장 공의 체면을 살려주실 건가요? 장 공이 총장을 하고말고는 우리가 연회에 가고말고와 또 다른 일입니다.

---

10 [역주] 국민당 통치 하의 청년 조직, 삼민주의청년단(三民主義靑年團)의 약칭.

시임도 변 선생이 장 공 편을 드니, 난 말도 못 꺼내겠군요. 선생은 가시구려.

변종주 장 공이 항일 전쟁의 지도자를 맡고 있는데, 국민이 당연히 지지해야지요, 이 점에서 우리가 다를 게 있습니까?

시임도 당신 지도자이지, 내 지도자는 아니요.

변종주 시 선생님은 다른 지도자가 따로 있으세요?

시임도 ……

하소산 루지초(樓之初)는 언제 오나?

시임도 ……

하소산 차라리 실연 당하는 게 낫지, 세 명인데 한 명 부족해서 못 하는 건[11] 정말 싫네요.

변종주 시 선생님과는 한번도 해본 적이 없는데, 잘 하세요?

시임도 마지막으로 이겨본 게 언제였는지 기억도 안 납니다.

변종주 패는 잘 붙으세요?

시임도 솜씨가 엉망이에요.

하소산 그건 사실이오.

---

11 [역주] 마작은 반드시 네 명이 되야 할 수 있다.

변종주 루지초 참 대단하지요, 그 사람 본전 잃는 거 한 번도 본 적이 없어요.

하소산 장기도 일품이라, 보통 사람은 상대도 안 되지.

변종주 하 선생님도 못 당하세요?

하소산 안 되지요.

변종주 그의 인생관이 "잘 먹고, 잘 마시고, 잘 놀자"랍디다.

하소산 전부 밥하고 관련이 있다니, 그보다 못 한 게 부끄럽구먼.

변종주 이 이야기 들으신 적 없나요? 루 선생 부인이 학생이었을 때, 루 선생이 쫓아다녔는데, 부인 숙제 사이에 연애편지를 끼워 보냈대요. 그런데 부인이 그 다음 숙제를 낼 때, "선생님을 매우 존경합니다. 하지만 선생님의 식탐은 싫습니다. 사귀고 싶은 마음 없습니다"라고 써서 보냈다더군요.

하소산 후에 어떻게 됐나? 그래도 그를 따라 사방으로 먹으러 다녔지.

변종주 그 댁 주방장도 보통이 아니래요.

하소산 서(徐) 씨 말이요? 솜씨가 정말 좋지, 7년 전에 그 사람 집에서 밥을 먹었는데, 새우 볶음이 일품이더군. 깔끔하면서 단맛이 입에 딱 맞더라구요. 독

특한 맛의 비결은 소스인데, 달면서도 느끼하지 않아요. 그가 개발한 거라 밖으로 전하지를 않아요.

변종주 이번 장 공의 모임에서 부자묘 노정흥의 도장의(屠長義) 씨가 주방장을 맡는다던데요. 절인 돼지 두부 요리를 한대요.

하소산 절인 돼지요?

변종주 그 유명한 금화(金華) 특산 절인 돼지를 구했대요.

하소산 여기 금화산 절인 돼지가 아직도 있나?

변종주 몇 년 갖고 있던 거래요. 제대로 된 금화 특산 절인 돼지요.

하소산 어쩐지, 도장의 씨가 함부로 그 요리를 할 리 없지, 좋은 절인 돼지가 아니면 맛을 낼 수가 없어요.

변종주 수 년간 전쟁을 하니 금화산 절인 돼지가 맥이 끊길 지경이에요.

시임도 쇠고기탕면도 못 사먹는데, 금화 절인 돼지는 말해 뭐합니까.

변종주 이번에 딱 가서 드시면 되겠네요.

시임도 난 돼지 다리 먹자고 체면을 버리진 않아.

변종주 좋은 말씀이십니다. 그럼 안타깝게 그 진귀한 것을 못 드시겠네요.

시임도 금화산 절인 돼지를 못 먹어본 것도 아니고.

하소산 6년간 그 향을 못 맡았누나.[12]

시임도 가난한 사람은 가난한 나름의 먹는 법이 있지. 김성탄(金聖嘆)이 "말린 두부와 땅콩을 같이 먹으면, 절인 돼지 맛이 난다"고 했어요. 해 봐요.

하소산 해 봤네.

변종주 어떻습니까?

하소산 그냥 말린 두부 맛하고 땅콩 맛이었지.

변종주 생각해 봐도 불가능하지요. 말린 두부하고 땅콩으로 금화 특산 절인 돼지고기 맛을 낼 수 있으면 누가 절인 돼지고기를 사겠습니까. 내기 한번 할까요. 루 선생은 바로 이 절인 돼지고기 두부 요리 때문에 분명 연회에 참석할 겁니다.

시임도 절대 아닐 걸요.

변종주 루 선생님은 예전부터 부자묘 노정흥의 단골입니다. 그 선생님이 고향 음식 맛볼 기회를 놓칠 거 같습니까?

시임도 루 선생은 요리 하나 먹자고 아무하고나 먹진 않

12 [역주] 원문에 고문(古文)으로 적혀 있어 고문을 읊듯 해야 한다.

아요.

변종주 물론 아니지요. 하지만 누가 초청한 겁니까? 장 공입니다. 루 선생님은 돌려돌려 쓴 소리 몇 마디 하겠지만 그래도 장 공 체면은 세워 줄 거예요.

시임도 꼭 그렇지 않을 수도.

변종주 그 분을 잘 모르시는군요. 루 선생님 겉으로 보이는 것처럼 그렇게 대범하진 않아요. 작년에 학생들이 공상희(孔祥熙)를 반대하며 수업 거부를 했었죠.[13] 루 선생님은 이에 대해 한 마디도 안 했지만, 아끼는 학생들을 따로 불러다 수업 복귀하라고 권했어요. 공상희는 싫어하지만 정부는 지지했죠.

시임도 그나마 다행히 그 유명한 당(唐)선생처럼 "수업 거부자를 가르치지 않고 죽이진 못하겠네"[14]라고

---

13 [역주] 국민당 정부 행정원장 공상희에 반대해 일어난 시위. 1941년 태평양 전쟁이 발발하고, 홍콩이 일본의 침략을 받았다. 당시 홍콩에는 국민당 정부의 주요 인사들이 체류하고 있었기 때문에 이들을 구출하기 위해 비행기를 보냈으나, 모든 주요인사 대신 장개석과 친척 관계인 공상희의 부인과 가족, 그리고 그의 살림살이가 도착했다. 동시에 공상희의 부정부패가 신문에 보도되며 공상희를 반대하는 대규모 학생 시위가 열렸다.

14 [역주] 고문자 학자 당란(唐蘭)은 진보인사로 여겨졌다. 그러나 공상희를 반대하며 학생들이 수업 거부를 하자 공자의 말을 인용하여 "수업

는 안 했군요.

하소산 그만해.

변종주 (좀 불편해하며) 괜한 말을 했나봅니다. 말하고 나니 후회되네요.

시임도 후회를 안 하면 안 되지. 선생은 설마 정말로 복귀 안 하는 학생들을 정부가 죽이도록 놔둘 거요?

변종주 하지만 수업 복귀 권고도 학생들을 위한 겁니다. 요 몇 년 동안 휴강에 휴강의 연속입니다. 처음에는 폭격, 공습 대피령, 그 다음엔 총장 교체와 수업 거부, 작년엔 또 공상희 반대 시위. 학생한테 가장 중요한 건 그래도 공부예요. 수업을 거부하고, 거리로 나가는 게 정말 학교나 국가를 위해서 하는 거라면 그것도 좋지만, 수업 빼먹고 그저 떠들썩한 게 좋아서 그러는 거라면 득보다는 실이 많은 거 아닙니까. 인생을 허비할 뿐만 아니라 부모한테도 면목이 없지요.

시임도 얘기하시는 거 듣다보니, 학생이 나라에 관심을 갖는 게 잘못된 일 같습니다?

거부자를 가르치지 않고 죽이진 못하겠다"라는 발언을 하여, 친정부적 성격을 드러냈다.

변종주 나라에 관심을 갖는 건 좋지요, 하지만 정치적인 문제를 학생들이 알아야 얼마나 알겠습니까? 모두들 내로라 하는 인재들입니다. 중대에 온 것은 문화를 배우러 온 것이지요. 문화를 전승하는 것이야말로 그들 현재의 사명입니다. 어떤 시대든, 어떤 나라든 문화 없이는 안 돼요.

시임도 중국의 문화는 책 안에만 있는 것이 아니라 정신에도 있지요. 만약 중국의 인재들이 똑같이 성현의 골동품만 보고, 창 밖의 일에 귀 기울이지 않는다면, 그거야말로 잘못된 일이지요.

변종주 그들한테 못 듣게 해야 한다고 한 적 없습니다. 단지 그들이 묻지 않았으면 좋겠습니다.

시임도 묻지 않는다면, 듣는 게 무슨 소용입니까?

변종주 그냥 묻기만 하는 건 좋지요, 되는 대로 소란피우지 말고.

시임도 관방이 지피는 불씨는 괜찮지만, 대중이 지피는 불씨는 안 된다?

하소산 (패를 들며) 여기 안에 새긴 게 옥인가?

변종주 옥입니다. 지금 일부 학생들은 '총장 문제가 해결되기 전까지 시험에 참가하지 않겠다'고 나옵니다. 시험을 연말로 연기한 건 마지막 마지노선입니다. 그런데도 학교 운명이 어쩌니 하는 핑계로 시험을 거부하는 건 아주 악질이지요.

시임도 젊은이들이 왕성한 혈기를 바로 억제하지 못 하는 게 이해 못 할 일도 아니죠.

하소산 이거 어디서 났소?

변종주 샀습니다. 그게 바로 괜히 소란 피우는 거예요. 듣기엔 그럴싸해 보여도, 사실은 그냥 소란 피우는 거예요.

시임도 학생 중에 몇몇이 그냥 소란 피우는 거야 어쩔 수 없지요, 선생들 중에도 그들과 함께 행동하는 사람이 있지 않습니까?

하소산 이거 비싸게 주셨겠어.

변종주 젊을 때 샀어요. 그땐 물정을 잘 몰라서. 이 물건에 돈을 그렇게 쓸 게 아닌데, 그런데 팔려니까, 또 아깝더라구요. 지금은 팔아서 생필품 좀 사려 해도 팔리지도 않아요.

하소산 루지초는 왜 아직도 안 오는가?

시임도 안 오는 거 같으니 그만 갑시다.

하소산 조금 더 기다려보지. 패 좀 깔아봅시다. 십 수 년간 마작판에 한번도 못 앉았어요.

변종주 양계초가 셋이나 다섯 명이 놀 수 있는 마작을 발명했다던데, 그게 널리 전해졌으면 중국에 또 하나 큰 공헌을 한건데요.

시임도 꼭 네 명을 채워야 되도 중국인들이 밥도 잊고 잠도 잊고 놀기에 충분합니다. 셋이나 다섯 명도 마작을 할 수 있으면 낮밤도 없이 사방에서 마작소리만 날 게 아닙니까.

변종주 말씀하시는 게 꼭 호적(胡適) 같습니다. 그 사람이 중국 남녀를 불문하고 온 시간을 마작판에 쏟으니, 마작은 팔고문, 전족, 아편과 함께 4대 악이라고 했지요.

하소산 그건 그 사람이 마작을 할 줄 몰라서 그렇지. 매번 지니까 마작이 해롭다고 말하는 거라구, 물론 마작에 안 좋은 점이 있긴 해도, 마작을 4대 악이라 하면, 부인 옆에서 같이 마작하는 게 부인 발에 전족하는 거랑 같다는 거 아니요?

변종주 그 말씀 나중에 호적 앞에서 한번 하십시오.

하소산 그 사람 바다 저쪽에서 엄청 바쁜데, 마작 신경쓸 틈이 어디 있나?

변종주 호적은 참 자유롭게 들락날락 하는군요.

하소산 호적이 주미대사를 몇 년 했으니 그렇지 않겠소? 그런데도 기회가 되니까 바로 관뒀죠. 문인은 결국 정치는 못 해요, 정치와 학문 둘 다 잡느라 허송세월하느니, 차라리 학문에 전심전력하는 게 낫지요.

변종주 정치에는 문인도 필요합니다.

시임도 문인이 물이라면 정치는 벼루예요. 맑은 물로 벼루를 씻어야 벼루를 다시 쓸 수 있지요. 만약 물이 먹과 섞이면 벼루도 깨끗하지 않고 물도 더러워지죠.

변종주 맑은 물과 먹은 서로 섞여야 합니다. 안 섞이면 어떻게 먹물이 있고, 어떻게 글씨를 씁니까? 하 선생님, 안 그렇습니까?

하소산 나? 난 차라리 물고기가 사는 연못물이 되고 싶구먼, 붓, 먹, 종이, 벼루 이런 것들하고 안 부딪히게. 루지초는 아직 안 오시는가?

시임도 안 오려는가 보네.

변종주 (하소산에게) 루 선생님이 연회에 갈 것 같습니까?

하소산 난 모르겠소.

시임도 안 갈 거요.

변종주 갈 겁니다.

시임도 절대 안 갈 거요.

변종주 왜 안 갑니까?

시임도 그 사람, 마음에 안 드는 사람이랑 절대 교류 안 합니다. 정계 인물이야 더 말해 뭐합니까. 이백(李白)이 "천자가 불러도 배를 타지 않았다"는데 그가 정말 그렇지요.

변종주 그 사람 겉으로만 '자유주의자'이지, 속은 권력 지향적입니다. 선생님 그 사람 평소에 대쪽 같고 명사인 척하지만요, 사실 그 사람 수많은 정계 사람들과 교분이 있지요. 그 사람 제수씨가 모 차장 딸이에요. 장 공이 총장 된다는 소식이 전해진 뒤에 그 사람이 한 말 들으셨습니까? 못 들으셨지요. "군자는 말은 더디나 행동은 민첩해야 한다"[15] 라고 했어요. 그 사람 아주 똑똑해요.

시임도 그 사람 안 갈 겁니다.

변종주 우리 내기합시다.

시임도 좋지요, 뭐 내기 할까요?

변종주 나루터의 쇠고기탕면, 어떠세요?

시임도 별로요.

변종주 팡샤오(仿紹)주 한 병?

시임도 너무 비싸요.

---

15 [역주] 논어의 한 구절.

변종주 그럼 뭘로 내기합니까?

시임도 지면 내 일 좀 도와주시구려.

변종주 시 선생님도 도움 필요한 일이 있으십니까?

시임도 ……

변종주 무슨 일인데요?

시임도 선생이 진 걸 인정하면 그때 말하지요.

변종주 제가 이기면요?

시임도 못 이길 거요.

변종주 제가 이기면, 시 선생님 연회 가시는 겁니다.

시임도 못 이길 거요.

변종주 시 선생님 그렇게 자신 있으십니까?

시임도 난 루지초를 잘 아오.

변종주 하 선생님이 증인 해주시지요.

시임도 정한 거요.

변종주 루 선생님은 분명히 갑니다. 하 선생님, 절인 돼지 두부 요리를 위해, 가시겠습니까?

하소산 금화 특산 절인 돼지라.

변종주 제대로 된 금화 특산 절인 돼지이지요.

하소산 금화 특산 절인 돼지 두부 요리라.

변종주 금화 특산 절인 돼지 두부 요리지요.

하소산 요리야 어쨌든 그 다음 문제인데, 장 공이 만약 행정원장 명의로 초청한다면 난 그 사람 체면 세워 주고 싶소, 하지만 총장 명의라면 그가 총장인 걸 인정하지도 않고 연회에도 가지 않겠소.

변종주 원장이든, 총장이든 그냥 직함일 뿐이지, 별 다를 게 있습니까?

하소산 행정원장이 초청하는 것하고 중대 총장이 초청하는 것이 어떻게 같은가?

변종주 어찌해도 다 장개석 아닌가요.

하소산 만약 장 총장이 교무를 처리하게 되면, 중대 총장 장개석이 교육부 장관 진립부(陳立夫)에게 결재를 올리겠지요. 그럼 진립부는 또 행정원장 장개석에게 결재를 올리게 되지요, 그게 어떻게 같아요?

변종주 그냥 웃자고 하는 소리죠.

시임도 당신도 그게 우스갯소리라는 걸 인정하는군요.

변종주 학생들 사이의 우스갯소리일 뿐이에요.

시임도 가고 싶다고 솔직히 말하면 될 것을.

변종주 전 그렇게 말 안 했어요.

시임도 속으론 그렇게 생각하지요.

변종주 아닙니다. 오해하셨네요. 전 하 선생님이 두부 좋아하시는 걸 압니다. 소산 선생님 세 가지 애호가 있다고 하지 않으셨나요? 굴원의 〈초사(楚辭)〉를 읽는 것, 동연지(董連枝)의 대고(大鼓) 연주를 듣는 것, 그리고 류화춘(六華春)의 두부 볶음 먹는 것이잖아요.

하소산 요즘 류화춘 두부는 못 먹겠어요, 동연지 대고도 못 들은 지 오래 됐고, 〈초사〉만 항시 곁에 두네요.

변종주 류화춘의 두부요리 못 드시겠으면, 노정흥 두부요리에는 흥미 있으십니까?

하소산 또 그 소리, 장 공이 원장 명의로 초청하면 맛보고 싶지요, 하지만 총장 명의로 초청하면 정말이지 별로 가고 싶지 않아요.

변종주 그건 무슨 억지입니까. 선생님이 연회에 가든 안 가든 장 공은 총장이 될 겁니다. 또 선생님이 안 가신다고 장 공이 중대 총장이 안 되는 것도 아니에요.

하소산 그 사람이 총장이 될 자유가 있듯이, 나도 인정하지 않을 자유가 있어요.

변종주 루 선생님도 풍류를 즐길 줄 알지만, 격식 차릴 때는 또 격식을 차립니다. 이번 장 공 초청, 참석해서 건의 몇 가지 할지도 모르지요.

하소산 나와 관계 없네요.

변종주 금화 특산 절인 돼지 두부 요리는 관계 없으십니까?

하소산 이건 원칙의 문제요.

변종주 관직에 나가지 않고, 입당하지 않는 것은 원칙의 문제이지요, 담배를 피지 않고 둘째 부인을 만들지 않는 것은 원칙의 문제이지요. 총장과 식사 안 하는 거에 무슨 원칙을 논합니까?

하소산 총장 자리에 어울리지 않는 총장과 밥 안 먹는 것이 원칙이요.

변종주 소산 선생님 눈에는 총장에 어울리는 사람이 있습니까?

하소산 학자들도 눈에 안 차는데, 하물며 일개 무인이 눈에 들겠나?

변종주 장 공은 일개 군인이 아닙니다. 또 어찌됐든 민족 패망의 위기를 마주하고 우리가 모두 항전 지도자 곁으로 단결해야지요.

시임도 말씀하시는 대로라면 연회에 안 가는 게 꼭 전쟁을 망치는 길 같네요.

변종주 전 그렇게 말 안했습니다. 어떠십니까?

하소산 난 학술만 본다오.

변종주 대학 총장 임명은 원래 학술만 따질 수 있는 문제가 아닙니다.

하소산 학술만 따질 문제는 아니지만, 학술이 제일 중요한 문제지요. 장 공이 학계에서 오랫동안 명망이 있었나? 원래 학술에 몸을 담았던가? 학교 업무를 처리할 때 당파 안 따지고 공정하게 할 수 있겠소?

변종주 제가 말하지 않았습니까. 그가 총장을 하는 건 학술 쪽으로는 적합하지 않아도, 행정 쪽으로는 매우 적합하다구요. 중문 연구소 자금 부족하지 않습니까?

하소산 아직 견딜만 합니다.

변종주 장 공 총장 부임 건은 이미 되돌릴 수가 없습니다. 굶어 죽어 수양산에 묻히느니 실질적인 일을 하는 게 낫지 않습니까. 장 총장한테서 학생과 선생들에게 득이 될 것을 얻어내야지요. 선생님이 주임이신데, 나중에 어찌됐든 총장과 교류를 안 할 수는 없습니다.

하소산 나중에 다시 얘기합시다.

변종주 왜요?

하소산 난 장 공을 안 좋아합니다.

변종주 이거야말로 솔직한 발언이시군요.

시임도 여기선 선생만 무조건적으로 장개석을 지지합니다.

변종주 난 한번도 무조건적으로 어떤 사람을 지지해 본 적이 없습니다.

시임도 조건이야 너무 찾기 쉽지요. 히틀러한테서도 찾을 수 있는 걸요.

변종주 네, 하지만 전 히틀러를 지지하진 않습니다. 그건 제가 스탈린을 지지하지 않는 것과 마찬가지입니다!

하소산 (마작 패를 모으며) 그만 하지요.

변종주 전 어떤 관직을 맡아본 적도 없고, 한번도 어떤 정치활동에 가담해 본 적도 없습니다. 시 선생님, 저를 모욕하는 말들 믿지 마십시오. 연회에 가는 게 원래 별일도 아닌데 말을 하다보니 여기까지 왔네요. 제가 가게 되면 분명 사람들 구설수에 오르겠군요!

하소산 (사방을 보며) "청자자청 탁자자탁(淸者自淸 濁者自濁)", 맑은 사람은 스스로 맑고, 혼탁한 사람은 스스로 혼탁하지. 여긴 말하기 좀 그렇군. 루지초도 안 오니 가서 찾아보는 게 어떻겠나?

암전.

3

1967년, 남경대학 문혁루.

노년의 시임도 그 사람 그래도 갔지.

노년의 하소산 자넨 원래 수죽찻집에 오지 않았던 걸로 기억하는데.

노년의 시임도 그날은 자네를 찾으러 간 거지, 변종주를 마주치고 싶진 않았네.

노년의 하소산 아닐세, 아니야. 분명 그렇지 않아. 절인 돼지 두부 요리는 본디 부자묘 노정흥 요리가 아니야.

침묵.

노년의 하소산 (곤극 〈장생전·탄사(長生殿·彈詞)〉 '꽃 한 송이(一枝花)'대목[16]을 부른다) 늘그막에 전란을 만나 갈림길에

16 [역주] 유네스코 세계무형유산으로 지정된 곤극은 600년의 역사를 갖고

서 곤궁하네.

노년의 시임도 자네 뭐 하는 겐가? 금지된 '구풍습' 노래를 불러. 부르지 마, 누가 와.

문이 갑자기 열린다. 노년의 하소산과 시임도 모두 크게 놀란다. 노년의 변종주 등장. 문이 '쿵'하고 닫힌다. 노년의 변종주는 하소산과 시임도보다 젊지만 보기에 더 늙어 보인다.

노년의 시임도 변종주?

노년의 변종주 가시겠습니까?

노년의 하소산 · 노년의 시임도 가다니?

노년의 변종주 나를 감시하던 홍위병 두 명이 그러는데, 홍총부대가 문혁루를 공격하려고 한답니다. 이쪽 무리는 모두 도망쳤어요, 우리도 잠시 동안 자유지요. 안 가실래요?

노년의 시임도 그들이 우리를 돌려보낸답니까?

노년의 변종주 아니요.

노년의 시임도 그럼 아직 함부로 거동하지 맙시다.

노년의 하소산 아니면 집에 가서 상황 좀 보고 다시 올까?

있는 중국의 전통극이다. 문혁 당시에는 구풍습으로 금지되었다.

노년의 시임도 자네들 가시게나. 난 이미 집이 없네.

노년의 변종주 (노년의 하소산에게) 가 보세요, 선생님은 그나마 학술권위 죄일 뿐이지 않습니까.

노년의 하소산 반동, 반동학술권위죄이지.

노년의 변종주 그건 그래도 인민 내부모순이잖아요. 전 임도 선생님과 남을게요.

노년의 시임도 난 우파 딱지는 63년에 이미 뗐어. 자넨 반혁명 죄잖아.

노년의 변종주 그래도 전 딱지 붙은 적 없어요.

노년의 하소산 우리가 그래봤자 똑같은 반동분자이지, 등급을 따져 뭘 하나. 난 가네.

노년의 하소산 입구로 가서 주저한다.

노년의 하소산 자네 장개석이 중대 총장할 때 기억하나?

노년의 변종주 네.

노년의 하소산 1943년 설에 그가 우리 초청해서 식사했던 가?

노년의 변종주 두 분이요?

노년의 하소산 우리 셋, 그리고 루지초.

노년의 변종주 네.

노년의 하소산 그런 일이 있었나?

노년의 변종주 있었지요.

노년의 하소산 자네 잘못 기억하는 거 아니지?

노년의 변종주 분명하게 기억나는데요.

노년의 시임도 내 말이 틀리지 않다구.

노년의 변종주 명절 연회였죠.

노년의 시임도 그렇지, 자네 혼자 가서 먹었지.

노년의 변종주 셋이요.

노년의 시임도 뭐?

노년의 변종주 셋이요.

노년의 하소산 셋?

노년의 변종주 선생님하고, 나하고, 시 선생님.

노년의 시임도 헛소리 마, 변 선생. 장개석 연회에 하도 많이 가서 잘못 기억하나보이.

노년의 변종주 우리 셋 다 갔어요. 아니면 선생님 책을 어떻게 중경까지 옮겨왔겠어요?

노년의 하소산 책?

노년의 변종주 시 선생님 계림(桂林)에 두고 왔던 책이요.

노년의 시임도 그 책들은 내가 모두 중대 도서관에 팔았어.

노년의 변종주 그건 책을 중경으로 옮겨온 다음 일이죠,

애들 병 고치려고 팔았잖아요. 중대 도서관은 그 먼 계림에 있는 책을 사려고 돈을 쓰지 않는다구요.

노년의 시임도 난 기억 안 나네.

노년의 하소산 난 절대 안 갔어. 만약 내가 장개석이랑 밥을 먹었으면 내가 분명히 기억을 하지.

노년의 변종주 갔어요. 내가 메뉴에 팔선 쏘가리탕이 있다고 하니 가셨잖아요.

노년의 시임도 무슨 쏘가리탕, 절인 돼지 두부 요리야.

노년의 변종주 절인 돼지 두부 요리요? 아니요. 그때 연회에는 그 요리 없었어요.

노년의 시임도 부자묘 노정흥의 유명한 요리잖아.

노년의 변종주 무슨 소리예요. 부자묘 노정흥에 그 메뉴가 어디 있어요. 그건 상하이 노정흥 메뉴지. 그날 먹은 건 류경상(劉慶祥)이 직접 개발한 팔선 쏘가리탕이에요.

노년의 시임도 한번도 들어본 적이 없는데.

노년의 변종주 쏘가리 채, 운남 절인 돼지 채, 죽순 채, 동고 채, 진피 채 등 국물 안에 여덟 가지 색깔이 들어있다 해서 팔선 쏘가리탕이라 불렀지요. 나도 그때 겨우 한번 먹어봤지, 류경상이 병으로 죽고

나서 비법이 실전(失傳)됐어요.

노년의 하소산 난 그 요리 먹은 적이 없어.

노년의 변종주 선생님 좋은 요리를 너무 많이 드셨나보네요.

노년의 하소산 내가 아무리 좋은 요리를 많이 먹었어도 까먹진 않네. 그 요리는 분명 먹은 적이 없어, 자네가 어디 연회에서 먹어보고 헷갈린 거야.

노년의 변종주 그럴 리 없어요. 기억나요. 우리 수죽찻집에서……

암전.

4

1943년, 중경 송림파 수죽찻집.

하소산 (변종주에게) 됐네, 됐어. 선생 집 가면 어떻소? 부인도 함께 몇 판 하고?

변종주 집에 애가 셋이라 재잘재잘 시끄러워요. 좀 불편하실 거예요.

하소산 부인이 화낼까봐 걱정하는 거지, 그럼 제수씨 번

거룹게 하지 말아야지.

변종주 그 사람이 어디 제 집 사람입니까. 엄마지요. 선생님 댁은……

하소산 우리 집은 좀…… (고개를 저으며 시임도를 본다)

시임도 나는……

하소산 제수씨 성격 좋잖나.

시임도 요즘은 별로 안 좋네.

변종주 그래도 우리 집 저 엄마보단 낫겠지요. 차라리 루 선생님을 찾아가는 게 낫겠어요. 그럼 시 선생님 사모님께 마작 머릿수 맞춰달라고 폐 끼치지 않아도 되구요.

하소산 (시임도에게) 우리 같이 갈까?

시임도 (망설이며) 내가 먼저 집에 가 있겠네.

변종주 제가 정리할게요.

시임도 (좀 당황해하며) 먼저 가겠네.

시임도 퇴장.

하소산 화내지 마시게. 원래 성질이 저래.

변종주 오랜 친구십니까?

하소산 우린 동갑에 동창에 동료지. 양강사범학당 졸업하고, 십 수 년 전 금릉대에 같이 있었는데, 지금 또 동료가 됐지.

변종주 하지만 시임도 선생님이 중대에 온 요 반 년 동안 두 분 왕래하시는 걸 잘 못 봤습니다.

하소산 저 사람이 금릉대 떠날 때, 우린 절교했었어.

변종주 무슨 이유로요?

하소산 오해가 조금 있었지.

변종주 오해요?

하소산 똑똑한 사람은 원래 오만할 수밖에 없는 법이야.

변종주 지나치게 오만하면 아무리 훌륭해도 소용없죠. 소산 선생님은 공자님 말씀처럼 겸손하고 온화하신 게 고인의 풍모이시죠.

하소산 감히 공자처럼 겸손하다고는 못 하겠지. '음빙식얼, 폐의천리(飮氷食蘗 敝衣穿履)', 냉수를 마시고 풀뿌리를 캐먹고, 해진 옷에 다 떨어진 신발을 신는다. 요즘에는 이 말들이 곤궁하고 초라함을 의미한다던데, 그럼 내가 고인의 풍모인 건 맞구먼.

변종주 '일단사(一簞食), 일표음(一瓢飮)'으로 '재루항(在陋巷)'에, '불개기락(不改其樂)'이라, 한 그릇의 밥과 한 표주박의 물로 누추한 골목길에 살지만, 그 즐거움을 바꾸지 않는구나.

하소산 '역불감기우야(亦不堪其憂也)'하며, '삼월부지육미의(三月不知肉味矣)'라. 어찌 그를 근심하지 않을 것이랴, 삼 개월 동안 고기 맛을 보지 못 했구나.

변종주 자미가왕호(子未可往乎), 그러니 선생님께서 어찌 안 가실 수 있겠습니까.

하소산 변 선생은?

변종주 전 절대 갈 수 없습니다.

하소산 저 사람은 저 사람의 입장이 있어, 변 선생이 꼭 저 사람과 함께 할 필요 있는가? 자네 안 간다고 장 공에게 어찌 말하려구?

변종주 몸이 안 좋다고 하면 그만이죠.

하소산 그건 장 공의 체면을 너무 무시한 거 아닌가.

변종주 좀 무시하면 또 어떻습니까?

하소산 장 공 아들은 어찌됐든 변 선생 학생이야.

변종주 왜 저한테 물으십니까? 설마 저 가면 가시려구요?

하소산 그럼 변 선생은 왜 나한테 물어?

변종주 그냥 물어보는 거지요.

하소산 나도 그런 거지.

변종주 정말 가실 겁니까, 안 가실 겁니까?

하소산 변 선생이 장 공더러 초청장에 쓴 '중대 총장'을 '행정원장'으로 바꾸라 하면, 내 가겠소.

변종주 어떻게 가능합니까?

하소산 왜 안 되는가?

변종주 제가 지금 가서 말하겠습니다.

하소산 정말인가?

변종주 농담입니다.

하소산 ……

변종주 왜 꼭 바꿔야 합니까?

하소산 (웃으며, 한숨 쉰다) 어제 수업 중에 학생들한테 장총장을 인정할 수 없다고 말했어.

변종주 그러셨군요.

하소산 학생들이 날 어떻게 보겠나.

변종주 (웃으며) '어아소욕야(魚我所欲也)'요, '웅장역아소욕야(熊掌亦我所欲也)'나 '이자불가득겸(二者不可得兼)'이라, 물고기도 내 바라는 바요, 곰발바닥도 내 바라는 바지만, 두 가지를 다 얻을 수는 없구나.

하소산 이 사람 참.

암전.

5

1967년, 남경대학 문혁루.

노년의 하소산 내가 절대 요리 한 접시 때문에 장개석을 만났을 리 없어.

노년의 변종주 선생님 바로 요리 한 접시 때문에 장개석을 만났어요. 하소산이 미식가라는 걸 누가 몰라요.

노년의 하소산 아무리 그래도 쏘가리탕을 내가 먹어본 게 몇 번인데, 그거 먹으러 연회를 가?

노년의 변종주 팔선 쏘가리탕은 안 드셔봤죠, 류경상 거요.

노년의 하소산 난 류경상 요리 자체를 먹어 본 적이 없어요.

노년의 시임도 내가 절인 돼지 두부 요리라 했잖어.

노년의 변종주 팔선 쏘가리탕이에요.

노년의 하소산 그런 일 자체가 없다니까.

침묵.

노년의 시임도 홍위병들이 다시 올까요?

노년의 하소산 왜 아무런 동정이 없지?

노년의 변종주 진짜 싸울까요? 듣기에 5층 옥상에 쌓아둔 게 황산하고 핵물질이래요.

노년의 시임도 핵물질?

노년의 변종주 방사성 물질이요! 원자 폭탄 만드는 거 말이에요!

노년의 시임도 설마?

노년의 변종주 들은 거라고 말하지 않았습니까. 홍위병도 군인인데, 이기려면 속임수도 마다하지 않겠지요.

노년의 하소산 자네들은 안 가나?

노년의 시임도 우리를 가라고 한 사람이 없지 않은가.

노년의 하소산 다리는 자네 것이야.

노년의 시임도 나라는 사람조차 누구 것인지 모르게 된 판에 다리는 말해 뭐하나?

노년의 변종주 (노년의 하소산에게) 선생님 간다고 하지 않았어요?

노년의 하소산 난 당연히 가야지. 자네가 분명하게 결론 지으면 갈 거야. 장개석은 날 초청한 적이 없고, 절인 돼지 쏘가리 볶음도 먹은 적이 없어.

노년의 시임도 초청했었어.

노년의 변종주 드신 건 팔선 쏘가리탕이구요.

노년의 하소산 우리 다 몇 십 년 된 동료 아닌가, 자네들 언제 중상모략하는 것도 배웠나?

노년의 변종주 선생님들 식사 참석하게 하려고 저는 찻집에서 선생님과 마작까지 했었죠.

노년의 하소산 우리 찻집에서 모인 적은 있었지, 하지만 분명 그 일을 상의한 건 아니야.

노년의 시임도 바로 그 일이야.

노년의 하소산 그 일이 아니야.

노년의 변종주 그럼 무슨 일입니까?

노년의 하소산 기억이 안 나.

노년의 시임도 소수는 다수를 따라야 해, 우리가 그 날 얘기한 건 그 일이야.

노년의 변종주 나중에 우린 선생님 집에 가서 마작도 하고, 밥도 먹었어요.

암전.

6

1943년, 중경, 시임도 집.

무대 중앙 조명이 밝아지면 찻집은 시임도의 집으로 바뀌었다. 나무 탁자는 변함없고, 주위에 네 개의 나무 의자가 놓여 있다. 벽에는 '自來自去堂上燕, 相親相近水中鷗'[17] 시구가 걸려 있다.

노년의 변종주 선생님 댁이 수죽찻집에서 멀지 않았지요, 내가 선생님 댁에 갔을 때 집에 선생님 혼자 있었던 게 기억이 나요.

변종주 마작 상자를 들고 등장, 문을 두드린다. 시임도 문을 연다. 노년의 인물들 퇴장.

변종주 시 선생님.

시임도 소산인가?

변종주 하 선생님은 오다가 배가 고파서 먼저 만둣국 한 그릇 드시고, 조금 있다 올 겁니다.

침묵.

---

17 [역주] 당나라 시인 두보(杜甫)의 〈강촌(江村)〉.

시임도 왜 같이 드시지 않고.

변종주 제 집사람이 길거리에서 함부로 먹지 말라는 군령을 내렸습니다.

시임도 장군은 외지에 있을 땐 군령을 안 받는 것도 있는 법이요.

변종주 군령 서약서를 썼어요.

침묵.

시임도 루지초는?

변종주 루 선생님은 오늘 아침 성도(成都)에 갔대요, 부인이 병이 위중해서. 장 공의 연회는 못 가시겠어요. (사이) 시 선생님 뭐 시키실 거라도 있으신가요?

시임도 소산이 먹으러 잘 갔군. 여긴 (중경 사투리를 흉내내며) 튀밥하고 물밖에 없어요.

변종주 선생님 생활하시는 게 참 청빈하시네요. 영 명절 쇠는 분위기가 안 나네요.

시임도 난 글을 팔 줄 몰라요. 소산과 장옹(壯翁)이 있어서예 파는 것도 글렀고, 가르치는 걸로 먹고 사는 거요. 학문이 여덟 말이어도 쌀 한 말도 안 되니, 손님 접대도 튀밥밖에 없네요.

변종주 (벽의 글자를 가리키며) 이건……

시임도 못 팔아요, 그냥 취미삼아 쓰는 거지요.

변종주 '자거자래당상연, 상친상근수중구',

들보 위의 제비는 왔다갔다 노닐고

물가의 갈매기는 서로서로 다정하네. (시를 외운다)

맑은 강물 한 굽이 마을을 감싸안고 흐르고

긴 여름 강촌에는 일마다 한가하네.

들보 위의 제비는 왔다갔다 노닐고

물 속의 갈매기는 서로서로 다정하네.

늙은 아내는 종이에 그려 바둑판을 만들고

어린 자식은 바늘 두드려 낚시바늘 만드네.

병이 많아 필요한 것 오직 약뿐이니

미천한 몸이 이밖에 다시 무엇을 구하리오.

똑같이 전란을 피해 촉나라 땅에 기탁한 것이나,

우리가 두소릉(杜少陵)만 못 하구나.

시임도 변 선생은 서화를 좋아하시나요?

변종주 좋아하지요. 근데 돈이 없어서요.

시임도 소장하신게 꽤 많으실 거 같아요.

변종주 '지기필불위기물의(知其必不爲己物矣)'니, 그것을 알면 꼭 가질 필요는 없지요.

시임도 선생 책과 서화는 모두 남경에 있소?

변종주 말도 마세요. 남가장(藍家庄) 집에 있던 몇 만 권의 장서는 이미 다 잿더미가 돼 버렸지요. 가지고 나온 진본(珍本) 몇 상자도 양자강 바닥으로 영원히 가라앉아 버렸어요. 몇 십 년의 노고가 하루아침에 사라졌지요. '혹자천의이여비박(或者天意以余菲薄)하여, 부족이향차우물야(不足以享此尤物耶)라[18], 어쩌면 내가 자격이 없어 하늘이 허락하지 않는 것인가?' (사이) 나라가 망하는데, 낡은 책 몇 권을 뭐에 쓰겠습니까?

시임도 그렇긴 해도 여전히 내 몸보다 소중한 것들이지요. 난 선생보다 조금 운이 좋군요. 내 장서들은 대부분 남경 집에 있어요. 나머지 중 일부는 금릉대 도서관에서 훼손됐고, 또 일부는 금릉여대가 이전할 때 길에서 잃어버렸고 〈청유별집〉 열 몇 종만 남았어요. 또 열 상자는 고향으로 부쳐서 내 동생이 보관했는데, 고향이 함락되고 동생이 이 열 상자를 어렵게 계림으로 싣고 갔어요. 물론 그 와중에 또 한 상자를 잃어버렸지요. 지금 이 고서

18 [역주] 이청조 〈금석록후서(金石錄後序)〉, 결혼 초기 남편과 행복했던 삶과 많은 문물의 수집과 분실의 자초지종을 담아냈다.

적 아홉 상자가 아직 계림에 있지요.

변종주 천만다행이네요.

시임도 그런데 작년에 내 아우가 학질로 세상을 뜨고, 내 책들을 그 외아들이 보관을 하게 됐어요. 동생이 평소 바빠서 아들 교육을 잘 못했지요. 얼마 전에 내 그 '훌륭하신' 조카님이 마작판을 뻔질나게 드나들다 못해 내 책을 팔기 시작했다는 얘길 들었어요.

변종주 어떻게 할 요량이십니까?

시임도 그 아이가 도박으로 내 책을 다 팔아버리기 전에 책 아홉 상자를 중경으로 옮겨와야지요.

변종주 좋지요.

시임도 그런데 계림이 사실 많이 멀지요, 게다가 전시상황이라.

변종주 학교가 도와줍니까?

시임도 고 총장 지금 병을 핑계로 안 나타나요.

변종주 총무처에 가보세요.

시임도 갔었지요. 계속 미루고 답을 안 줘요. 또 개인 서적이라 학교가 관여할 이유도 없지요.

변종주 교육부로 가 보세요.

시임도 난 그치들과 교류하고 싶지 않소.

변종주 왜요?

시임도 진립부(陳立夫)의 선심은 받고 싶지 않소.

침묵.

변종주 이 대련(對聯)은 얼맙니까?

시임도 그건 안 팔아요.

변종주 저한테 부채 두 개가 있는데 부채에다 글씨를 좀……

시임도 선생 나한테 글씨 써 달랄 돈이 있습니까?

변종주 저 원고료 있어요.

시임도 깜빡했네요. 〈중앙일보〉에 투고했었죠. 난 가난할 대로 가난한 선비라, 선생같이 돈 버는 재주가 없네요.

변종주 돈을 벌긴요, 그냥 입에 풀칠하는 거죠. 후방전선에서는 인플레이션을 틈타 악덕 상인들이 투기를 하니, 원고료 몇 푼 가지곤 이제 생활비도 안 될 거예요.

시임도 어찌됐든 선생은 세상 일에도 훤하고, 노련하잖소. 난 그런 글 쓰질 못 해요.

변종주 저도 못 해요. 상황 따라 이리 붙고 저리 붙는 사람들을 좀 봤다 뿐이지요. 계림에 다른 아는 사람이 있으십니까?

시임도 문제는 도와줄 만한 사람이 없다는 거요.

변종주 선생님 아드님은……

시임도 아들이 번 돈으로는 자기 식구 먹여 살리기도 힘들어요.

변종주 사모님이 혹시 방법이 있을지 모르니, 상의해 보셔요.

시임도 그 사람이 무슨 방법이 있겠어요.

변종주 여자들 머리가 남자들보다 빨라요.

시임도 방법이 없어요.

변종주 저도 돕고 싶은데 방법이 없네요.

시임도 선생은 방법이 많지요.

변종주 제가 무슨 방법이 있어요?

시임도 선생은 방법이 있어요.

변종주 사람 난처하게 하시네요.

시임도 정말 쉽지요. 선생이 연회에 가서 장 공에게 몇 마디 하면, 해결되지요.

변종주 아, 선생님이 말씀하셔도 똑같지요.

시임도 다르지, 선생은 장씨 집의 가정 교사였으니, 장 공의 은사인 거죠.

변종주 전 단지……

시임도 내 앞에서 겸손할 필요 없어요.

변종주 연회에 가서 장 공에게 책에 대한 이야기를 해라.

시임도 그렇지요!

변종주 안 갑니다.

시임도 그럼 다른 방법을 생각해봐요.

변종주 전 방법이 없어요.

시임도 그럼 연회에 가세요. 오늘은 내 집에서 저녁 먹고.

변종주 그건 뭐지요? 보상입니까?

시임도 마땅히 해야 할 주인의 도리요, 선생에게 일을 부탁하면서 식사 대접도 한번 안 하면 제수씨가 날 원망하지 않겠습니까.

변종주 이 일은 그 사람한테 얘기 안 할 건데요.

시임도 그것도 좋지, 여인들은 자극하지 않는 게 제일 좋지요. 대개 슬쩍 넘어가는 게 낫지요.

변종주 여자들이 우릴 속이는 게 우리가 여자들 속이는 일보다 훨씬 많을 걸요. 여자들 신경은 우리보다 자극을 잘 참아요. 불행하게도 가난한 부부가 되니 부인은 대부분의 일을 속이고, 저도 그 사람을 속이고, 둘 다 모르는 척하는 거죠. 안 그러면 이런 삶의 중압감을 어떻게 이겨냅니까.

시임도 일들은 속일 수 있어도 지폐는 못 속이지요. 월급 나올 때마다 완전 새로운 일련번호가 찍힌 지폐를 보면 바로 이번 달 인플레이션이 어떻겠네, 다음 달 물가가 또 얼마 오르겠네 불평이 나오지요.

변종주 사모님은요?

시임도 저녁거리 사러 나갔소.

변종주 정말 식사대접하시려는군요! 접대할 돈은 있으십니까?

시임도 신세만 질 순 없잖소.

변종주 루 선생이 성도에 갈지 누가 알았겠어요? 내기에 승복하는 거지 신세질 일 없습니다.

시임도 오늘 저녁 드시니까, 일이 잘 되도 더 사례는 안 하겠소.

변종주 그럴 필요 있습니까? 우린 그냥 정치 견해가 다를 뿐이죠.

시임도 도리를 달리 하는 사람과는 일을 도모하지 않는 법이오.

침묵.

변종주 전 집에 가서 마나님 분부 받아야겠어요.

시임도 내 집사람이 가서 알려줄 거요.

변종주 연회에 가서 말은 해보겠지만 일이 될지 안 될지는 전 장담 못합니다.

시임도 대부분이 명대 각본이라고 말하세요. 내 〈문선찬주평림(文選纂註評林)〉은 초각 원본이라 구하기 힘든 선본(善本)이에요. 문추당(文樞堂)의 〈수경주(水經註)〉도 40권 완전한 한 질이라 귀한 거구요. 또 원대 진본을 청나라 때 수기(手記)한 거요. 그 중에 어산(魚山) 선생의 흔적도 있어요…… 됐습니다. 너무 자세히 얘기해봤자 장 공이 이해하지도 못 할거요. 그냥 내가 가진 명 각본 〈정묘집(丁卯集)〉이 유일본인데, 판각이 아주 정교하고 아주 드문 판본이라고만 말해요.

변종주 아, 아, 뭐라고 말해야 할지 알겠습니다.

시임도 내가 이십여 년 동안 덜 먹고 덜 입으면서 모은 십만 권의 장서요, 단언컨대, 남경에서 아마 나를 따라올 사람은 없을 거요. 많이 사라져서 이미 심장을 도려내는 것처럼 아프오. 그 아홉 상자는 원래도 진귀한 서적들이지만 지금은 더욱더 진본 중에 진본이라 요즘은 더욱 더 귀해진 것이라 어떤 일이 있어도 보존해야 돼요. 만약 내가 방법이 조금이라도 있었으면 진작 직접 계림으로 가서 그 짐승 같은 것을 토막을 내고 책을 가져 왔을 거요.

변종주 알았어요, 이해했어요. 며칠 못 본 새 많이 초췌해지셨다 했더니 이 일 때문이셨군요.

시임도 책은 바로 내 목숨이오.

변종주 소산 선생님도 그땐 그렇게 말하셨지요. 책이 있던 건물이 폭격당했다는 소식을 듣고 대성통곡을 하며 죽을 것처럼 아파했었어요. 그런데 선생님이 나루터에 가서 쇠고기탕면을 연달아 두 그릇 드시고 얼굴빛도 돌아오고 행동도 평소대로 돌아오시더라고요. 이상하죠, 진짜 이상하죠. 정말 명사인 척 연기 잘하고, 청정무위한 것 같지만, 그런 척하는 거지요. 그 분보다 더 그럴 듯하게 연기하는 분은 없어요. 책이 소중하긴 하지만 역시나 몸 밖의 물건인 게지요. (시임도가 반응이 없자, 조금 껄끄러워 하며) 듣자하니 선생님 지금 풍우란(馮友蘭)의 '정원삼서(貞元三書)'를 보고 계시다던데, 어떻습니까?

시임도 '정원삼서'요? 화가 치밀더군요. 풍우란이 최근 연구한 게 무슨 철학인지 몰라도 사상이 뒤엉켜 있고 모순투성이에요. 북대의 학술정신을 아주 만신

창이로 만들어놓고도 "북경대의 개교기념일을 축하하며"라고 말하는군요. 그가 북대한테 준 건 개교기념 선물이 아니라 겉에만 사탕발림한 독약이에요. 난 지금 반박하는 글을 쓰고 있어요. 북대에 몸담았던 사람으로서 절대 그의 허튼 소리를 받아들일 수가 없네요.

변종주 선생님 말씀이 좀 격하시네요. 전 〈신이학(新理學)〉 봤는데, 견해가 독창적이던데요.

시임도 실제를 초탈해서 진상(眞相)을 말하는 건 관념론의 견해요.

변종주 철학이란 물론 진상을 말하는 학문이죠. 풍우란도 실제과 진상의 연관을 결코 끊지 않았어요.

시임도 그는 유물사관 자체를 이해 못 했소, 그냥 유물사관을 공식처럼 기계적으로 적용한 것이지요. 이게 바로 기계적이고 형식론적인 오류요. 마르크스의 이론을 제멋대로 끌어다가 곡해까지 더해서 바로 그의 변증법 논리가 된 것이지요.

변종주 그건 선생님의 편견이에요.

시임도 편견? 맞는 건 맞는 거고, 틀린 건 틀린 거요. 변증법이 무슨 만능 공식은 아니요. 헤겔은 변증법을 개념 자체의 발전 법칙으로 보았기 때문에 삼단법이 보편적 공식이 되었던 거요. 그러나 실제로는 모든 현상을 삼단법의 공식 안에 집어넣는다고 해서 사물의 발전을 반드시 설명해내지는 못합니다.

하소산이 술 한 병을 들고 등장.

변종주 풍우란의 관점은 유물사관에 대한 그의 이해입니다. 선생님은 그의 모든 말을 맹목적으로 마르크스와 대응시키고 있어요. 그래서 선생님이 풍우란의 관점을 기계적으로 이해하게 되신 거구요.

시임도 기계적인 건 내 이해가 아니라, 그의 저술이요. 그가 그렇게 썼으니 내가 자연스레 그렇게 이해하지요.

변종주 그리고 이건 삼단법이랑은 다른 얘기입니다.

시임도 기계론적 오류에 있어서는 같지요. 변증법의 삼법칙을 구별해서 보면…… 마침 소산도 왔군요. 소위 말하는 '제대립의 침투' 법칙은 생물학적 생명의 현상을 삶과 죽음의 통일로 설명합니다. 이건 살아있는 사람의 체내에 죽음의 요소가 내포되어 있다는 것이죠. 하지만 산 사람은 여전히 산 사람이지, 그가 동시에 죽은 사람이 될 수는 없습니다. 형식 논리학에서의 동일률, 모순률, 배중률은 여전히 상대적 지위를 가지고 있는 것이지 절대적으로 쓸모없는 게 아닙니다.

하소산 (작은 소리로) 지금?

변종주 (작은 소리로) 풍우란 '정원삼서' 비판하고 있어요.

시임도 (마작 패를 들고) 예를 들면 네 끝과 네 끝, 한 끝과 한 끝은 상대적인 겁니다. 네 끝과 한 끝, 네 끝, 한 끝은 절대적인 것이구요. 그런데 '절대' 안에 '상대'의 존재를 포함하지 않을 수 없어요. 산 사람 체내에 죽음의 요소가 내포되어 있습니다. 이 죽음의 요소는, 즉 삶의 요소가 발전 전화(轉化)한 것이지요. 즉 생물체 내에서 일어나는 신진대사 작용은 새로운 것이 오래된 것을 완전히 소멸시키는 것이 아니라, 새로운 것이 오래된 것을 지양하는 것이죠. 그 부정의 단계가 반드시 역사의 구사례에 얽매인다고 할 수 없어요. 영국의 마그나카르타와 프랑스의 유혈혁명이 모두 봉건제에서 민주주의로 가려는 목적을 달성할 수 있었어요. 여기서 알 수 있듯이 변증법은 기계적이고 고정적인 방법이 아니라 객관 현상 변화를 설명하는 하나의 설명입니다.

침묵.

변종주 (술을 보며) 이건……

하소산 여아홍주(女兒紅)네.

시임도 이해하셨습니까?

변종주 철학에 대해서 제가 연구가 깊지 않습니다.

하소산 이 사람 말은 사람은 모두 죽지. 어떤 병균에 감염되어 죽기도 하고 적군의 폭격에 죽기도 하지. 하지만 어떤 사람이 적군의 폭격에 죽었다고 해서 자네도 반드시 폭격으로 죽는다고 생각할 수는 없다는 거지.

변종주 이해했습니다.

하소산 부인은?

시임도 저녁거리 사러 나갔네. 자네들 여기서 저녁 먹고 가게나.

하소산 저녁 줄라구?

변종주 제가 선생님을 도와 간단하지만 곤란의 요소를 내포하고 있는 일을 하기로 했습니다.

하소산 무슨 일인가? 맞다, 자네가 졌지.

변종주 삼십일 밤에 장 공 앞에서 시 선생님 장서에 관한 얘기를 꺼내기로요.

하소산 자네 연회에 가려는 겐가?

변종주 시 선생님 장서가 계림에서 산실될 수 있어서 중경으로 옮겨올 수 있게 장 공이 도와줄 수 있나 물어보려구요.

하소산 자네는 장 공 체면 세워주긴 싫어하면서 장 공의 선심은 바라나.

시임도 내가 가는 게 아니니 내가 그의 선심을 받는 것도 아니네.

하소산 실상은 같지.

시임도 진상은 다르네.

변종주 풍우란의 이론 인정 안 하시는 거 아니십니까?

시임도 그럼 내게 무슨 다른 방법이 있소?

하소산 있지, 책을 계림 도서관에 팔아.

시임도 무슨 농담인가.

하소산 아니면 연회에 가서, 자네가 직접 장개석에게 말하면 되지.

시임도 난 이미 제3의 방법을 찾았네. 뒤밥이랑 따뜻한 물, 먹겠나?

하소산 주게.

변종주 선생님 방금 만둣국 드시고 오지 않으셨습니까?

하소산 튀밥은 배가 안 불러. 자네도 좀 먹지?

변종주 손을 흔들며 거절한다. 시임도 퇴장.

하소산 저 사람.

변종주 내 도움을 바라는 거였으면 이왕지사 찻집에서 좀 듣기 좋은 말을 해줬어야지요.

하소산 자네들 같은 노선이 아니구먼.

변종주 선생님들도 아니네요.

시임도 그릇과 물 주전자를 들고 등장.

하소산 몇 년 전 여름 방학 때 매일 10시면 경보가 울렸던 게 기억나. 경보가 울리면 바로 이웃집에 가서 마작을 빌리고 대나무 숲에 가서 마작을 했지. 모기한테 뜯기는 것도 잊고, 경보가 해제된 것도 모르고.

변종주 시 선생님, 선생님께서는 선생님의 철학 관점이 정확히 옳다고 확신하시는 거지요?

시임도 난 마르크스의 관점이 절대 정확히 옳다고 말한

적 없소, 난 단지 변증법은 하나의 설명이지, 공식이 아니라고 말한거요.

변종주 하지만 선생님께서는 완전히 그의 관점이 옳다는 관점에서 토론하고 계십니다.

시임도 나는 그의 관점이 과학적이라고 봐요, 만약 반대하신다면 내 가르침 기꺼이 받겠소.

변종주 전 선생님이 과학을 너무 과신한다고 봅니다. 과학이 꼭 맞는 건 아니에요. 과학 또한 모든 것에 적용할 순 없지요.

시임도 과학이 꼭 옳진 않겠지만, 과학이 중국이 가장 절실하게 필요로 하는 거라는 건, 절대 정확합니다.

변종주 절대 정확한 건 없어요, 특히 철학은요.

시임도 내가 설명했잖소. 절대와 상대는 일종의 모순의 통일이라고.

하소산 우리 과학을 토론하러 온 건 아닌데.

변종주 계속 변증법을 말씀하시지만, 선생님의 태도는 전혀 변증적이지 않습니다.

하소산 선생님들 계속 철학 얘기할 거면 난 그만 갑니다.

시임도 어디가 변증법적이지 않소?

변종주 선생님은 객관현상을 설명하는 데 있어서 변증법만이 유일하게 옳다고 보고 있어요. 이게 바로 변증법적이지 않습니다. 제가 보기에 철학은 철학이고 과학은 과학입니다. 결코 소위 말하는 과학적 철학은 존재하지 않습니다. 철학은 신학처럼 증거를 댈 방법이 없는 것입니다.

시임도 선생님의 변증법에 대한 이해에 근거하자면 이 세계는 마음대로 해도 되겠습니다. 모든 것이 변증법적이고 다 맞으면서도 틀리다고 하시니. 이것이 유심론입니다.

변종주 아마도요, 선생님의 그 유물주의를 너무 믿지 마십시오. 이 세상은 원래 맞으면서 틀린 것입니다.

시임도 변증법은 결코 정지된 것이 아닙니다. 생물체 내의 전화 역시 고정된 것이 아니구요. 언제나 한 쪽이 다른 한 쪽을 밀어내게 되어 있습니다.

하소산 그렇지, 자네 책이 자네 체면을 압도하거나 자네 체면이 자네 책들을 압도하거나.

시임도 체면이 아니야.

변종주 우린 철학 관점이 달라 논쟁을 해도 결과가 없군요.

시임도 그럼 철학적 논쟁이 무슨 의미가 있소?

하소산 됐네! 우리 마작하러 온 거야.

변종주 연회 가고 말고가 정말 이렇게 심각한 일입니까?

시임도 난 장개석과 같이 앉아 있을 수 없어요!

변종주 왜요?

시임도 대학은 자유로운 곳이요, 독재자가 총장을 한다는 건 정말 웃긴 소리입니다!

변종주 전제정치도 때론 필요한 겁니다. 만약 강력한 중앙이 없었다면 군벌이 할거한 중국이 어떻게 단결할 수 있었고 이번 민족 전쟁에서 승리할 수 있었겠습니까? 민주도 한 걸음씩 가는 겁니다.

시임도 장개석은 그렇게 생각하지 않을 것 같아 두렵소.

변종주 그럼 선생님은 독재자와 한 식탁에서 밥 먹는 것을 수치로 여기면서 왜 저더러는 가라고 하십니까? 선생님 고결함을 돋보이고 싶어 그러십니까? 아니면 선생님의 고결함으로 내가 사람들 비위 맞춘다고 깔보려 그러십니까?

시임도 선생은 장 공과 식사하는 것이 처음도 아니잖소.

변종주 제가 가고 안 가고는 제 자유입니다. 안 그렇습니까? 이번엔 저도 안 가고 싶네요. 저도 한번 고결하고 싶습니다. 선생님 부탁만 아니면요.

시임도 내기에서 졌으면 승복해야지요.

변종주 선생님 일 도와달라고 하실 때 아무 설명도 없이 어떤 일을 꼭 도와줘야 한다고 하셨지요. 제가 다른 일을 돕지요. 이를테면 선생님 서예작품을 산다던가 숨 좀 돌리시게 돈을 빌려드린다든가.

시임도 시임도 평생에 굶어죽으면 죽었지 남한테 돈을 빌리진 않소.

변종주 하지만 전 연회에 안 갈 거예요. 선생님 부탁만 없으면.

시임도 멀리 안 가오.

변종주 나오지 마십시오.

하소산 (변종주를 막으며) 선생 가시면 누가 나랑 같이 마작을 합니까?

변종주 난 이게 가장 못 참겠어요. 절 뭘로 보시는 겁니까? 확성기입니까? 정부 입 속의 혀입니까? 모든 정부는 선전이 필요합니다. 제가 정부를 도우면 바로 독립적 인격도 없는 사람이 되는 겁니까? 학문으로 출세하려는 사람인 겁니까? 학자는 정부를 통해 조국에 대한 자기 희망을 실현하면 안 됩니까? 요즘 사람들, 매일매일 정부가 나쁘다고 말하지요, 꼭 욕 몇 번 하면 진보인사라도 되는 것처럼 말입니다.

시임도 아직도 욕하면 안 됩니까? 중국 정부 부패한 건 세계적으로도 유명해요. 미국 적십자가 퀴닌 약품을 다량으로 원조했지만 전부 다 중국은행 창고에 있지요. 부상병 치료에 쓰지 않고 팔아서 이익을 취했어요. 이렇게 나라의 어려움은 신경도 안 쓰는 그런 처사를 아무도 저지하지 않아요. 그래서 약품 원조도 다시 받을 수 없는 지경이란 말입니다. 나라의 수치요, 나라의 수치! 몇 번이라도 부패를 욕하는 게, 만세 삼창 외치는 것보다 훨씬 더 강하오.

하소산 (천천히 암송한다) '독대고인칭후사, 기지망국재관사(獨對古人稱后死, 豈知亡國在官邪)', 홀로 고인(古人)을 마주하고 후세를 말하니, 패망이 관리 탓인 줄 어찌 알리오. 쯧쯧.

변종주 정부가 불만이면 공산당이 있는 연안으로 가시면 되겠네요. 하지만 연안에 전등조차도 없다고 하는데, 가서 뭐하시겠습니까?

시임도 민주와 자유조차 없는 정치를 뭐하러 합니까?

변종주 연안이라고 민주와 자유가 있습니까?

시임도 여기보단 민주와 자유가 있지요.

변종주 난 거기에 민주집중제가 있다는 것은 들었어도 민주자유가 있다는 건 못 들었습니다. 다들 자유를 말하니, 그럼 〈중앙일보〉도 헛소문을 만들 자유가 있는 거네요.

시임도 요즘도 〈중앙일보〉 보는 사람이 있습니까?

변종주 보세요, 이게 바로 자유의 해악입니다.

시임도 그건 자유를 남용한 해악입니다. 정부가 진보하고 있다고 말하지 않았소? 헌정제 한다고 몇 년을 떠들썩하더니 정부 움직임은 눈꼽만큼도 안 보여요.

변종주 진보는 일직선이 아닙니다. 헌정제는 앞으로 반드시 실현될 겁니다. 요 근래 정부 처사가 불만스럽긴 해도, 그것이 결코 정치가 더이상 진보하지 않는다는 뜻은 아닙니다. 예전에 학생들이 데모하면 정부는 그저 진압할 줄밖에 몰랐습니다.

시임도 학생 시위는 얘기하지 마시오. 내 학생이 시위하다 죽었어요. 바로 남경국민당정부 옆 진주교(珍珠橋)에서 말이오. 학생이 일본에 대항해서 나라를 구하자고 한 게 무슨 잘못이요!

변종주 그건 채원배 선생이라도 혼낼 수 없지요.

시임도 행위가 정당하지 않았다고 칩시다. 그래도 정부는 무기 하나 없는 학생들을 상대로 군경한테 총검으로 맞서라고 명령할 수는 없는 거요.

변종주 그래서, 지금 정부기관은 학생들 데모를 가장 무서워합니다.

시임도 그래봤자 좋을 것도 없어요. 왜 정부기관은 학생 데모가 있어야만 뭘 할 생각을 하지요?

변종주 아무것도 안 하는 것보다 하고자 하는 바가 있는 건 나아진 거잖아요.

시임도 선생님은 어떻게 주변하고는 비교를 안 하십니까?

하소산 책! 책!

변종주 선생님 책 필요하시면 직접 가서 말하시던지, 아니면 하 선생님더러 얘기하라 하세요. 어쨌든 전 이번에 장 공의 체면을 못 살려주겠습니다. 나도 내 체면 좀 차려야겠습니다.

하소산 알았네. 자네 계림에 책이 얼만큼 있나?

시임도 아홉 상자. 원명 진본하고 청대 수기본도 있네. 그 중 어산 선생의 진필도 있고. 내 그 〈문선찬주평림〉은 초각 원본이구……

하소산 내가 가서 말하겠네.

시임도 자네가 간다구?

하소산 내가 기다리는 책이 훼손되고 또 훼손되고, 사라지고 또 사라져서 열에 한둘 남았는데, 당연히 보존해야지. (변종주에게) 종주, 가지 말게, 자네 가면 이 마작은 또 못 하잖는가. (시임도에게) 술잔 있나?

시임도 퇴장.

하소산 선심은 내가 쓰도록 함세.

변종주 저 분 특수당파 아니지요?

하소산 아니야, 절대 아니네. 예전에는 진덕회(進德會) 회원이었는데, 어떤 당에도 가입하지 않는다는 결심을 세웠지.

시임도 컵 세 개를 들고 등장.

하소산 부인은 언제 오는가?

시임도 모르겠네.

하소산 마작이나 브릿지는 다 네 명이 필요하지, 장기나 바둑은 두 명이면 되고. 또 술 마실 땐 사람 수 제한이 없지. 세 명이면 신나게 놀지. 자, '춘풍이 송난입도소(春風送暖入屠蘇)라, 도소주 한잔에 봄이 오는구나'

세 사람 건배한다. 시임도 부인이 바구니를 팔에 걸고 등장.

시임도 처 하 선생님, 변 선생님.

변종주 사모님.

하소산 마침 잘 됐어요. 우리 세 명이라 한 명이 부족했는데.

시임도 처 저 정리 좀 해 놓고 올게요.

시임도 처 퇴장.

하소산 드디어 편안한 마음으로 마작을 하겠군. 아무도 더 이상 장개석 얘기는 꺼내지 말게, 오늘은 노세나.

시임도 처, 외투를 벗고 등장.

시임도 처 죄송합니다. 집안 꼴이 말이 아니라 창피하네요.

하소산 어디요, 우리 집 꼴을 못 보셔서 그래요, 사모님, 우리 구세주이십니다. 안 오셨으면 우린 웬종일 사람 부족해서 마작 못 했어요.

시임도 뭐 샀어요?

시임도 처 민물생선 샀어요. 그리고 계란찜하고 야채 두 가지 볶으려는데, 입에 맞으실까 모르겠네요.

변종주 오늘 사모님 번거롭게 합니다. 미국에서는 부인한테 손님 온다고 미리 안 알려주면, 이혼하자고 한대요.

시임도 처 내가 성질이 좀 있었으면 진작 이혼했지요. 집에 변변한 게 없어 손님 청한 모양새가 안 나네요.

하소산 두부하고 청경채로 진미를 내면 그게 진정한 공력이지요. 상다리 부러지게 차리시면 부담스러워 젓가락도 못 대요.

시임도 처 하 선생님이 좋으시면 됐어요.

변종주 사모님 쌓인 거 많으시죠.

시임도 처 제가 어디 불평이나 할 수 있나요.

하소산 (시임도에게) 자네가 변 선생 같았으면, 사모님도 불평할 일이 없을 건데.

변종주 사람이 불만 없을 때가 어디 있습니까. 변증법적으로 말하면, 모든 결혼은 이혼의 요소를 내포하고 있습니다. 부부 사이에 사랑하면서 미워하거나 혹은 사랑이 미움보다 많거나, 미움이 사랑보다 많지요. 평화로워 보이는 결혼도 속을 보면 들끓고 있지요. 다행히 제 아내는 불만은 많아도 아직 혁명을 일으킬 단계까진 안 갔어요.

시임도 처 변 선생님은 결혼학자시군요.

변종주 요즘 전부 과학적이어야 한다고 하지요. 사고도 과학적으로 건축도 과학적으로, 회화도 음악도 모두 과학적이어야 한다구요. 저도 시류를 쫓아 결혼의 과학화를 연구합니다.

하소산 나도 언젠가는 마작의 과학화에 대해 연구해봐야겠네.

시임도 ……

시임도 처 제가 선(先)을 잡지요. 임도가 돌아와서 집에서 마작하겠다고 해서 놀랬어요.

하소산 병이 도져서요. 우리가 졸랐어요. 만약 루지초가 어디 가지만 않았어도 저희도 폐 끼치지 않았을 거예요.

시임도 처 그러게요. 임도가 아침에 헛걸음을 했지요. 원래는 루 선생님을 만나 뭐 좀 상의를 하려고 했는데……

시임도 패 잡으시게, 패 잡아.

변종주 그럼 시 선생님은 벌써 루 선생님을 한 번 찾아가셨단 말씀이시네요?

시임도 처 네.

변종주 시 선생님은 루 선생님이 성도에 가신 걸 알았구요?

시임도 까먹었소.

변종주 어쩐지 시 선생님이 나와 내기하자 하시더니!

하소산 앉게나. 마작해야지.

변종주 속이셨군요.

시임도 아니요.

변종주 (웃으며) 정말 반전이네요. 하 선생님, 저 분이 가지고 놀았으니 선생님도 일부러 좋은 패 밀어주실 필요 없네요. 모두들 패를 속이고, 시 선생님 너무 정직할까 속임수에 걸릴까 신경쓰고 있는데. 자공(子貢)은 양(羊)을 아끼고, 공자는 예를 아꼈다더니 선생님은 실리를 아끼시지만 난 마음을 아낍니다. 마작판에서 우린 각자 스스로 챙기면 될 일입니다. 다른 사람이 한 끝이 부족한지 네 끝이 부족한지 더이상 신경쓰지 말자구요. 동의하시면 같이 놀고, 동의 안 하시면 한 명 부족해지니, 실연당하신 겁니다.

하소산 임도, 책 일은 자네가 직접 가서 얘기하게.

시임도 소산!

하소산 자네가 속였잖은가.

시임도 농담한 것뿐이야.

변종주 농담한 것뿐이라구요? 서슬이 퍼렇게 사람을 몰아세워놓고, 정말 가지고 노셨어요.

시임도 믿든 안 믿든, 난 그때 루지초가 없다는 걸 까먹었었고, 나중에 생각이 났어요.

변종주 농담 그만 하세요.

시임도 처 왜 그러세요?

하소산 오해가 조금 있었어요.

시임도 처 무슨 오해요? 뭘 또 오해해요?

시임도 저녁 준비하러 가야죠.

시임도 처 당신 또 그 성질머리 못 참았군요. 변 선생님, 선생님이 참으세요.

시임도 저 사람이 뭘 참아!

변종주 사모님, 이번에는 제가 못 도와 드리겠네요, 선생님이 못 돕게 하시네요.

시임도 처 변 선생님!

변종주 하 선생님께 물어볼까요?

시임도 처 하 선생님.

하소산 시간이 이리 많이 지났는데, 아직도 저 성질머리.

시임도 처 저 사람한테 몇 번을 말했는지 몰라요. 말해야 입만 아파요. 하 선생님, 선생님이 저 사람 목숨 구한다 생각하시고 좀 도와주세요.

시임도 무슨 말을 하는 거요?

하소산 그렇게 심각한가.

시임도 처 저 사람 외골수 거, 아시잖아요.

하소산 자네 오늘 찻집에 왜 갔나?

시임도 자네는 가고 나는 가면 안 되나?

하소산 나 찾으러 온 거잖아. 그리곤 루지초랑 약속했다 하고. 그냥 말하면 안 되는가?

시임도 처 제 말 들어주시는군요.

하소산 사모님 정말 저 사람이 찻집에서 어떻게 말했는지 들어보셨어야 되요. 어디 도움 청하러 사람 찾아 온 태도인가요, 그게.

시임도 처 알겠네요. 어제부터 오늘까지 몇 번을 얘기해도 어물어물 넘겨버려요. 저 사람 선생님이 예전 일 마음에 담아뒀을까봐 걱정하는 거예요.

시임도 됐어, 식사준비 하러 가시게.

하소산 저는 저 사람 책하고는 원한이 없습니다.

시임도 처 아, 너무 고맙습니다. 전 밥하러 갈게요. (퇴장)

하소산 마작은 또 못 하겠구만.

변종주 원래 못 치는 거였죠.

하소산 자네도 참, 찻집에서 어떻게 한 마디도 안 꺼냈나? 변 선생을 몰아세울지언정 나에게는 한 마디 묻기도 싫었나?

시임도 절교하잔 서신도 쓴 마당에 자네가 그리 흔쾌하게 받아줄지 내가 어떻게 알았겠는가.

하소산 한번 묻는다고 죽나? 됐네. 일 해결됐네. 종주, 변 선생도 연회에 갑시다. 농담이고, 이미 지나갔잖소.

변종주 농담한 게 아니죠! 날 갖고 논 거지.

하소산 됐네. 장 원장한테 말해서 초청장에 '총장' 두 글자만 '원장'으로 바꿔서 나한테 다시 하나 주시게나.

변종주 안 할래요.

하소산 내 체면 좀 세워주게.

변종주 제가 선생님 체면 봐 드리는 건, 저 선생님 체면 봐 드리는 거랑 똑같다구요.

시임도 선생이 내 체면 세워줄 필요 없소.

하소산 칭호 하나 바꾸는 것뿐이오.

변종주 선생님 그 요리 드시고 싶은 것 아닙니까? 초청장을 바꾸던 안 바꾸던 그 요리는 나온다구요. 아무것도 달라질 게 없어요.

하소산 난 장 총장하고 밥 안 먹네.

변종주 그거 잘 됐네요, 다 가지 마요.

하소산 그가 초청장만 바꾸면 난 가겠네.

변종주 바꿔요, 좋아요! 셋이 다같이 갑시다. 남 도와주고 괜히 알랑방구 낀단 명성도 안 얻어도 되구요.

시임도 난 안 가.

하소산 고작 장 공과 밥 한끼 먹는 건데, 뭐 그리 어렵나?

시임도 난 차라리 책이 다 팔려버리더라도 독재자와 한 식탁에서 밥 먹진 않겠네.

변종주 민족 패망의 위기 앞에서 민족주의가 잠깐만이라도 민주주의보다 높을 수는 없습니까?

시임도 이게 민족주의와 무슨 관계요?

변종주 장개석을 독재자가 아니라 민족항전의 지도자로 보시면 됩니다.

시임도 설령 그가 항전 지도자라 해도 여전히 독재자요.

변종주 그러니까 제가 잠깐만 민족주의를 민주주의 위에 두시라고 하는 겁니다.

시임도 그 사람은 총장 명의로 초청하는 거요. 또 무슨 항전영웅도 아니고.

변종주 그가 새 총장 명의로 초청하는데 그럼 선생님은 무슨 독재니 아니니를 따지십니까?

시임도 그는 총장에 어울리지 않소.

변종주 선생님 그 사람 쫓아낼 수 있습니까?

시임도 쫓아낼 수는 없어도 비폭력으로 협조하지 않을 거요.

변종주 가서 그 사람의 학교 운영 방침 좀 들어보고 다시 결정하면 안 됩니까?

시임도 (냉소하며, 중얼거린다) 학교 운영 방안…… 장 공이?

변종주 장 공이 멍청하진 않아요. 그가 중대 총장이 되고자 했을 때는 그도 생각이 있겠지요. 사실을 묻지도 않고, 억측만 하시는 건 유물주의의 태도는 아니지요.

시임도 ……

변종주 그리고 체면이야 '허상'이고 책이 '실리'이지요. 명망은 '허상'이고 수완이 '실리'이지요. 감정적으로 하실 필요 뭐 있습니까?

시임도 ……

변종주 당당한 사내대장부가 전쟁 상황에서 허명만 좇고 실상을 저버린다면 운운할 체면조차 없지요!

시임도 그 사람은 내 학생을 죽였어! 온몸을 칼에 찔려 비장에서 피를 흘리며 3층에서 뛰어내려 갈비뼈 다섯 대가 나갔어. 동북에서 이곳까지 와서, 외동아들이었는데, 스무 살도 채 안 되었소! 바로 진주교에서 정부에게 항일을 요구하기 위해. 얼마나 훌륭한 학생이오! 내가 장 공과 자리를 함께 하는 건 이번 생에서는 생각도 하지 마시오.

변종주 개인적 원한이군요.

시임도 개인적 원한?

하소산 자리에 가서 장개석한테 욕을 퍼부으면 더 후련하지 않겠나. 가서 그 사람 체면을 구겨버리세나.

시임도 불가능하다는 거 잘 알잖소.

하소산 왜?

시임도 당연히 불가능하지.

하소산 민국16년 안휘대학 총장 류문전(劉文典)이 북벌군 총사령관 장개석과 몸싸움 한판 붙고도 겨우 7일 구금됐었지. 자네가 욕 몇 마디 한다고 뭐 어쩌겠나? 그 사람이 항전 지도자 신분으로 초청하면 자네 갈 텐가? 장 공더러 초청장의 '총장'을 '위원장'으로 바꾸라 하게.

시임도 자네 그 요리 먹고 싶어서 이러는 거 아닌가?

하소산 뭐?

시임도 자네 어제 학생들 앞에서 큰 소리 쳐 놓고, 혼자 가기 민망하니까 오늘은 나더러 같이 가자고 설득하는 거지.

하소산 난 그게 아니라……

시임도 자네는 매번 그래. 매번 날 설득하려고 해.

하소산 내가 언제?

시임도 여고에 있을 때에도, 금릉대에서도 중대에서도, 심지어 매암 선생님 댁에서도 언제나 이랬지.

하소산 우리 사이의 토론을 어떻게 내가 자네를 설득하는 거라고 말할 수 있나? 또 토론이 바로 서로 상대를 설복하는 거 아닌가?

시임도 우리는 평등한 토론이 아니야. 자넨 언제나 선배가 후배한테 가르치는 태도로 말을 한다구.

하소산 말도 안돼.

시임도 자넨 언제나 꼭 속세에 속하지 않는 고매한 사람처럼, 어부처럼 굴지.

하소산 난 그저 자네처럼 고집스럽지 않을 뿐이야.

시임도 내가 고집? 좋아, 나 고집스럽네, 그러는 자네는 고집스럽지 않나?

하소산 나도 고집스럽나?

시임도 이를테면, 자네 그때 금릉대 교칙 바꿔야 한다고 고집부렸던 거.

하소산 십 몇 년 전 그 오래된 일을 아직도 들춰내나. 그리고 금릉대 교칙은 원래 바꿔야 했어.

시임도 금릉대 교칙을 바꾸고 말고는 위원회가 정했던 건데, 왜 날 원망하나?

하소산 자네가 교무 위원회였지, 자네는 날 돕겠다고 단단히 약속을 해줬고.

시임도 내가 그 당시 위원회이긴 했어도 위원회가 어디 나 혼자인가. 난 이미 최선을 다해 자넬 도왔었어.

하소산 자네가 던진 건 반대표였지.

시임도 헛소리, 난……

하소산 난 자네가 반대표 던진 거 알고 있어.

시임도 자네가 어떻게 알았어?

변종주 세상에 비밀이 어디 있나요.

시임도 학교 교칙은 자네 한 사람의 불편함 때문에 마음대로 바꿀 수 있는 게 아니야.

하소산 그건 마음대로 바꾼다고 하는 게 아니야. 교칙이 내 상황에 잘 맞지 않았다는 건 이미 교칙 자체가 문제가 있다는 뜻이야.

시임도 그건 자네가 고집스럽게 겸임을 하려고 했으니까.

하소산 선생이 왜 겸임을 하면 안 되지?

시임도 자네가 두 학교의 수업을 모두 책임질 방법이 없으면 겸임을 하지 말아야지.

하소산 학교 교칙이 그렇게 융통성 없지만 않았어도 난 두 학교 다 완벽하게 책임질 수 있었어.

시임도 난 학교 교칙이 융통성이 없다고 생각하지 않네.

자네 한 사람 때문에 학교 시간표를 바꿀 수는 없어.

하소산 자네가 교칙이 융통성 없는 게 아니라고 생각한다면 자네가 이랬다저랬다한 것이고 말에 신용이 없는 것이지.

시임도 난 우리 우정을 깨고 싶지 않았네.

하소산 우정을 깨고 싶지 않았다? 자네는 교칙 하나가 우정을 깰 수 있다고 생각한 건가?

시임도 사실상 이미 깨졌지, 만약 그 죽일 놈의 교칙만 아니었더라면, 자네 역시 절교 편지를 쓰지 않았을 것이고, 우리가 십 몇 년 동안 소식조차 안 전하진 않았겠지.

하소산 내가 절교장을 쓴 것은 친구와 신뢰가 사라졌기 때문이지, 자네가 규칙을 옹호해서야 아니야.

시임도 자네가 날 욕해도 상관없었어. 그런데 한 마디 말도 없이 바로 절교장 한 장 보냈지.

하소산 자네 역시 한 마디 말도 없이 금릉대를 떠났지.

시임도 그런 일이 있었는데 날더러 어떻게 자네와 함께 일하란 말인가?

하소산 자네 반응이 지나쳤어, 그냥 절교장일 뿐이었네.

시임도 뿐이었다고!

하소산 자네가 다시 화해장을 쓰면 되는 거 아닌가. 그냥 교칙에 대한 충돌이었어.

시임도 교칙 뿐만 아니라, 자넨 학생들 앞에서 내 글까지도 비판했지.

하소산 자네 글엔 오류가 있었어.

시임도 오류가 있으면, 오류를 지적하면 될 일, 자네는 내 글 자체를 부정하고, 내 학문 자체를 부정했어.

하소산 난 자네 학문을 부정한 적이 없어.

시임도 자네가 내 연구는 새 병에 담은 낡은 술이라고 했어.

하소산 내가?

시임도 내 글은 한 근의 술에다 열 근의 물을 탄 것이라고도 말했지.

하소산 난 기억 안 나.

시임도 자네가 그렇게 말했어. 학생들이 다 말해줬네.

변종주 세상에 비밀은 없군요.

하소산 자넨 글을 지나치게 많이 썼어.

시임도 자네처럼 한 글자를 그토록 금처럼 아끼면, 자네가 뭘 연구하는지 학계가 어떻게 알겠나.

하소산 오류가 수없이 나오는 글은 없는 것만 못 하지.

시임도 내 글에 오류가 수없이 나오나?

하소산 가흥(嘉興)의 한 선학은 정확한 인식과 투철한 견해 없이 함부로 붓을 들지 않았지, 항상 수많은 책을 보면서도 한 글자도 적지 않았네.

시임도 다들 자네처럼 한 글자도 쓰지 않으면 학계는 절명하는 거 아닌가?

하소산 우리에겐 또 학생들이 있지.

시임도 학생들도 결국 한계가 있지.

하소산 글은 마땅히 써야 하는 거지만, 자네도 좀 지나쳤어.

시임도 뭐가 지나친가?

하소산 자네 새 이론 하나 가져다가 밝히지도 않고 베껴 쓰지 않았나.

시임도 난 오랜 고민과 생각을 통한 것이네. 자네 글이야 말로 진부하지. 무덤 속에 묻힌 것들처럼 조금도 참신하지가 않아.

하소산 학문을 한다는 건 참신함을 추구하기 위해 하는 게 아니야. 난 북방 학파들의 그 지점이 제일 싫어. 참신함을 위해 견강부회하고 과대포장하고. 서양에서 새로운 거 하나 보면 그냥 고대로 들고 와서. 무슨 니체니, 마르크스니, 적합한지 아닌지 따져보지도 않고.

시임도 그건 일부가 그러는 거지. 아니 그럼 모든 학자가 조상들만 받들며 충신인 듯 해야 하나?

변종주 멋대로 짜깁기하고 손가는 대로 쓰고, 옥석도 구별도 안하고 마구 섞어놓는 게 신문화입니까? 저도 북대 졸업생 몇몇 만난 적 있어요. 경솔하기 짝이 없더군요, 그런데도 아주 도도해요. 한 명은 나한테 자기가 〈황청경해(皇淸經解)〉를 다 읽었다 하더군요. 〈황청경해〉 천사백여 권을 다 읽었다고! 웃기죠. 북대 애들은 아주 척을 잘해요.

시임도 자네가 만난 게 북대 몇 기 졸업생인가?

변종주 선생님 모교를 헐뜯을 생각은 없었습니다.

시임도 선생은 줄곧 북대를 별로 인정하지 않았어요.

변종주 하지만 전 줄곧 선생님을 존경해왔습니다…… 오늘까지도 계속이요!

하소산 학술상 충돌은 피하기 어렵지만, 우정은 망치지 마세.

시임도 그러게. 교칙 하나가 자네가 나를 반대하게 만들었고, 글 한 편도 자네가 나를 반대하게 만들었지. 지금이 더 낫네. 절인 돼지가 자네가 날 반대하게 만드는데, 아직도 우리 우정을 해치지 못할 게 남았는가?

하소산 됐네, 난 자네 반대 안 하네.

시임도 자네 이러는 것도 날 반대하는 거 아닌가?

하소산 절인 돼지 때문이 아니야.

시임도 그럼 왜 가겠다는 건가?

하소산 자네를 도우려고.

시임도 자네 도움 필요없어!

침묵.

변종주 절인 돼지 먹고 싶어서 가면 또 어때요?

하소산 난 절인 돼지 때문이 아니요.

시임도 나더러 사람 몰아 세운다 하더니 선생은 참 차근 차근 잘 일깨워주십니다 그려. 선생은 모든 사람은 다 선생 주인 앞에 데리고 가서 알랑거리려는 거 아닙니까?

변종주 마작을 들어 시임도에게 던지고, 시임도 역시 마작을 들고 변종주에게 던지다.

하소산 그만 두시게! 그만 둬!

시임도 처, 뛰어들어온다.

시임도 처 왜 그래요? 뭐 하는 거예요?

시임도 꺼져!

시임도 처 뭐 하는 거예요! 죄송합니다.

하소산 다들 화를 좀 가라앉히고.

변종주 하 선생님, 저 지금 가서 초청장에 쓴 '총장' 바꿔 버리라고 하겠습니다. '원장'이든, '위원장'이든 선생님 마음대로 하십시오. 우리 다 갑시다. 다 가요. 선생님은 절인 돼지 때문에 가고, 나는 장 공한테 알랑방귀 뀌러 가고요. 가서 학교 운영에 대한 생각을 좀 들어봅시다. 선생님은 중문연구소 주임입니다.

하소산 알겠네.

변종주 하, 좋습니다. 가서 누구도 시 선생님 책에 대해서는 말하지 않는 겁니다.

시임도 처 변 선생님!

변종주 시 선생님, 선생님 책이 다른 사람한테 넘어가는 게 꼭 나쁜 일만은 아닐지도 모릅니다. "활을 잃었으나, 내 사람이 그를 주우니, 말할 필요 있겠는가!"라는 말도 있지 않습니까. 하! 사모님 주우실 필요 없습니다. 마작도 못 하게 됐는데 던지면서 놀지요, 뭐.

시임도 처 변 선생님, 누가 마작을 던지면서 놀아요. 대체 왜 그러세요? 잘 얘기하시더니, 또 왜 다투셨어요?

변종주 저희가 마작 소리를 듣는 걸 좋아해서요.

시임도 (마작을 탁자 아래로 쓸어버리며) 충분히 들으셨으면 꺼지셔도 됩니다.

시임도 처 임도!

변종주 제가 마작 줍는 건 기다리셔야겠네요. (쭈그리고 앉아 천천히 줍는다) 이거 그래도 상아로 만든 건데. 사모님, 괜찮습니다. 제가 줍죠.

하소산 보아하니 우리 또 절교하는구만.

시임도 처 그건 무슨 말씀이세요.

시임도 저녁하러 가시구려, 오늘이 바로 절교 기념 식사구먼.

시임도 처 하 선생님.

하소산 난 도울 수가 없어요.

시임도 처 하 선생님!

하소산 사실 아주 간단합니다.

시임도 처 어떻게요?

하소산 임도에게 직접 연회에 가게 하세요.

시임도 · 시임도 처 안 돼요.

변종주 세상에 불가능한 일은 없습니다.

하소산 국민당 공산당도 이미 합작을 했는데 자네가 안 될 게 뭔가?

변종주 그래요. 장개석이 선생님 학생 한 명을 죽였습니다. 그가 공산당은 얼마나 많이 죽였습니까? 그렇지만 공산당도 서안사변 때 그를 안 죽였어요. 저우언라이도 장 공과 형아우 하고 있는데, 아직도 원한을 담아두십니까?

시임도 정치가들은 정치가들의 처세가 있는 거겠지. 난 정치하는 사람이 아니야.

변종주 정치를 안 하면서 선생님은 학생들 시위하라고 부추기셨잖아요?

시임도 학생들이 길에 나가 시위를 한 건 정부에게 항일전쟁을 요구하는 거였소.

변종주 선생님 그 학생의 죽음에 선생님은 책임이 없으십니까?

시임도 장개석이 죽인 거지, 내가 아니야.

변종주 그럼 장개석에게 뉘우치게 하세요. 장개석이 속죄하게 하시라구요. 뭐가 걸리십니까? 제가 말씀드리는데요. 모택동도 조만간 장 공이랑 호형호제하는 날이 올 겁니다. 안 믿으십니까?

하소산 책이 체면보다 중요하네. 이번에 책만 운반해오면 자네도 안심할 수 있어.

시임도 처 그러게요. 저도 진작에 그렇게 말했는데. 밥 한 끼잖아요? 또 혼자 가는 것도 아니고. 이렇게 못 먹고 못 자고 하느니 질러버리는 게 낫겠어요.

변종주 정계와 학계가 무슨 상하 구분이라도 있습니까? 정치하면 더럽고, 학술하면 고매합니까? 난 정부를 지지하고 양심에도 떳떳합니다. 전 결코 중간에서 제 이득을 꾀하는 게 아닙니다.

시임도 선생이 꾀하는 게 참 적군요!

시임도 처 임도! (변종주에게) 죄송합니다.

변종주 제가 꾀하는 게 있다면 학교를 위해 실질적인 이익을 꾀하는 것뿐입니다. 어떻게 생각하시든 이 정부는 우리가 기댈 수 있는 유일한 정부입니다. 우리가 잘 나갈 수 있도록 밀어주어야 해요.

하소산 장개석과 밥 먹는 게 뭐 그리 창피한 일인가. 그를 보는 게 괴로우면 요리를 보면 될 걸세. 그 사람 훈화가 듣기 싫으면 한 귀로 듣고 한귀로 흘려버리세. 몇 시간만 버티면 지나갈 걸세.

시임도 자네는 견딜 수 있겠지. 식탁 위에 좋은 요리 몇 점만 있으면 어떤 것도 들리지가 않지.

하소산 책 필요없어졌나?

시임도 계림 도서관에 팔아도 별 일 아닐세.

시임도 처 좋아요. 그럼 당신 더 이상 그 휴지조각들 생각하지 말아요! 당신 직접 가서 밥 한 끼 먹는 게 그렇게 어려워요? 이번에 얘기 끝난 거예요. 이왕 책 팔아버리기로 한 거 잘 먹고 잘 자요. 죽네 사네 괴로워하지 말고. 당신이 죽는 거야 상관없어도 내 생각도 좀 하라구요!

시임도 ……

시임도 처 능력 있으면 책을 가져오시고 능력 없으면 그만 생각해요. 생각 안 하는 거 가능해요? 난 안 믿어요. 내가 보기엔 당신 일부러 나 못 살게 하는 거야. 무슨 일이든 다 나 혼자 조바심내고, 당신은 아무것도 묻지도 않죠. 당신 체면은 체면이고, 내 체면은 체면도 아닌 거죠. 나는 밖에 나가 노점 깔고 아침 팔고, 전당포에 가고 이웃집 가서 돈 빌리고……

시임도 돈을 빌려?

시임도 처 거의 빌리게 생겼다구요! 체면은 진작에 없었어요. 난 오히려 장개석과 밥 먹으러 가고 싶어도 날 초청하지 않으니 나도 방법이 없지요. 지금 정말 살아갈 방법이 없다구요.

시임도 처 탁자 위의 마작을 던져 버린다. 퇴장. 침묵.

하소산 우리 먼저 갈까?

시임도 처 손에 편지 하나를 들고 등장, 편지를 시임도에게 준다.

시임도 처 당신이 알아서 해요. (퇴장)

시임도 (편지를 보고) 개자식!

시임도 탁자를 치고 땅을 구른다. 하, 변 두 사람 어찌할지 모른다.

시임도 갑시다! 절인 돼지 먹읍시다.

암전.

7

1967년, 남경대학 문혁루.

노년의 변종주 계림에서 온 편지에는 선생님 책은 이미 모두 전당포로 갔다고 했죠. 선생님 이 한번 꽉 깨물고 가는 데 동의했어요.

노년의 시임도 죄다 헛소리.

노년의 하소산 그건 내가 아니야, 분명 내가 아니야.

노년의 변종주 바로 선생님이에요.

노년의 시임도 난 안 갔어. 난 앞으로도 영원히 장개석과 같은 탁자에 앉는 일 없어.

노년의 하소산 자넨 확실히 잘못 기억하고 있어.

노년의 시임도 내 자네한테 경고하는데, 함부로 사람 건들지 말어.

노년의 변종주 못 믿겠으면 부인한테 물어보세요. (사이, 조금 민망해하며) 미안합니다. 내가 잊었군요……

노년의 시임도 자네가 무슨 낯이 있어 내 아내를 들먹여! 경원(景園)은 자네가 죽인 거야.

노년의 변종주 그건 또 무슨 말씀이세요!

노년의 시임도 자네가 대자보에 폭로해서 벽에 붙였잖아.

그날 밤 경원이 바로……

노년의 변종주 그건 폭로가 아닙니다! 설명입니다! 설명!

노년의 시임도 설명? 자네는 자네가 장재수와 밥을 먹었다고 설명하면 될 일이지, 왜 사실을 날조해서 나까지 갔다고 해?

노년의 변종주 갔어요…… 아마 선생님 부인은 내가 말한 게 진짜라는 걸 알 거예요. 그러니까……

노년의 시임도 덤벼들어 멱살을 잡는다.

노년의 하소산 문과(文科)방식으로 해, 무과(武科)말고. 홍위병들도 아직 싸움 시작 안 했는데, 우리 반동분자들이 먼저 싸우기 시작하는구먼.

노년의 변, 시 아연해진다. 노년의 변종주 입구로 가서 문을 연다.

노년의 하소산 어디 가나?

노년의 변종주 집에 가요.

노년의 하소산 진짜 가나?

노년의 변종주 전 저 사람과 한 집에 못 있겠습니다.

노년의 시임도 가게나!

노년의 변종주 원래 가려고 했어요. (노년의 하소산에게) 선생님은 안 가십니까?

노년의 하소산 먼저 가시게.

두 사람 문 앞에서 망설인다.

노년의 시임도 말에 신용이 없구만.

노년의 변종주 왜 그런 말을 하십니까.

노년의 시임도 나와 남아주겠다고 누가 그러셨소?

노년의 변종주 선생님 저 반혁명분자라고 싫어하는 거 아니셨습니까?

노년의 시임도 자네 누명 뒤집어 쓴 적 없다고 말하지 않았는가?

노년의 변종주 (하소산에게) 그럼 선생님 먼저 가시렵니까? 가는 길에 저희 집에 안부나 좀 전해주시구. 그럭저럭 잘 지내고 혁명군이 무력행사 안 하고, 밥도 배불리 먹고 있다고, 그냥 약이 곧 다 떨어져간다구요.

노년의 하소산 (맥이 빠져) 그래도 좀 더 기다려 봅시다……

침묵.

노년의 하소산 우리 세 사람 확실히 마작 한 번 한 적은 있는 것 같군.

노년의 시임도 그렇지.

노년의 변종주 우리가 왜 같이 마작을 했어요?

노년의 하소산 기억 안 나.

노년의 시임도 잘 생각해 봐.

노년의 하소산 벌써 칠십이 넘었는데, 내가 다 기억하길 기대하면 안 돼.

8

1943년, 중경, 시임도 집.

마작패는 모두 상자 안에 정리되어 있다. 탁자 위에 술이 몇 병 놓여 있고, 세 사람 모두 조금 취해 있다.

시임도 십년 전 경성으로 말을 달리고, 은초와 기방 사람들은 꽃과 같았네. 오늘 강가의 황멸방에 있으니, 비바람에 온통 비파소리 들리누나.

하소산 아직 기억하는구만.

시임도 좋은 시지.

하소산 이미 이십여 년이 지난 거 같지 않구먼.

시임도 그때는 매암 선생도 계실 때였지.

하소산 옛 시절 떠올리니 왕백항(王伯沆), 황계강(黃季剛) 제인들과 활몽루(豁蒙樓)에 앉아 차 마시고 담소하고, 현무호(玄武湖)에 배를 띄워, 피리소리 장단 맞춰 노래 하니, 즐거워 시름을 잊었네. 오늘에 나라가 조각나니, 사람들도 흩어져 옛일은 꿈만 같구나.

변종주 루지초 선생님도 출국할 의사가 있는 것 같습니다.

시임도 그가 출국을? 그가 출국해서 뭘 할 수 있나?

하소산 외국인들에게 중국말 가르치지.

시임도 그 사람 그 절강 사투리, 중국 학생들도 잘 못 알아듣는데, 외국인을 또 가르치겠다고?

변종주 한평생 중문을 공부했는데 외국인조차 못 가르치면, 너무 아이러니 아닙니까?

시임도 난 반평생 〈사기〉 연구를 했는데, 요즘 혼란을 분명하게 꿰뚫어 볼 수 없으니 연구한 게 다 무슨 소용인가?

변종주 물질적으론 거지지만, 정신적으론 귀족이지요.

하소산 선생은 물질적으로 거지겠지만, 나는 물질적으로 아사할 지경이오.

변종주 우리 집 꼴은 거지굴하고 다를 게 없어요. 우리 마누라가 만든 요리는, 정말 밥을 많이 먹게 하지요. 소금장수를 때려죽여도 안 바뀔 거예요.

하소산 난 자네가 자네 부인 좋게 얘기하는 거 한번도 못 들었네.

변종주 좋은 말이야 남겨두었다 집에서 해야지요.

하소산 임도, 이런 건 좀 배워.

시임도 다투는 게 버릇이 돼서 좋은 말 하면 오히려 이상해.

변종주 시 선생님 사모님 솜씨가 정말 좋지요. 예전에는 사모님 이뿌면 잘 하시는 것만 알았는데, 청경채 두부볶음도 이렇게 고급스럽게 하실지 몰랐네요. 선생님 먹을 복도 있으시네요.

시임도 누가 그 사람이 이뿌면 잘 한다고 얘기했지?

변종주 저 먹어봤어요. 지난 번에 사모님이 적지 않게 보내주셨지요. 그리고도 남아서 다 못 먹었는걸요.

시임도 여보!

시임도 처 등장.

시임도 다음 번엔 소산한테도 이푸면 좀 보내주구려.

시임도 처 네?

하소산 전 아직 못 먹어봤어요. 사모님, 변 선생만 잘 해 주시면 안 돼요.

시임도 처 하 선생님이 왜 못 드셨어요? 내일 제가 조금 싸 드릴께요.

시임도 당신 왜 변 선생 댁에만 국수를 보냈소?

시임도 처 변 선생님 사모님이 평소에 우리 집 일을 얼마나 많이 도와주시는데요. 고마워서 국수 좀 한 거예요.

시임도 그런가?

변종주 고맙긴요, 당연한 일인 걸요.

시임도 나도 먹어본 지 오래 되서. 내 것도 안 남겨줬구려.

시임도 처 안 좋아하는 거 아니었어요?

시임도 내가 언제 안 좋아한댔소?

하소산 내일 사모님이 하시면 반은 저 주시고, 반은 임도 남겨주시면 되지요 뭘.

변종주 국수 얻어먹으면 일 좀 도와주셔야 합니다.

하소산 국수만 주신다면야 무슨 도움이든 말만 하시지요. 돈 빌리는 것만 아니면 되요.

변종주 정말 돈 빌려줬는데요.

시임도 처 변 선생님!

시임도 돈을 빌려요?

변종주 (웃으며) 농담이에요.

시임도 (부인에게) 당신 돈 빌렸어? 저 사람한테 돈 빌렸어?

변종주 얼마 안 되는 돈 급하게요.

시임도 얼마나 빌렸어?

시임도 처 얼마 안 돼요.

변종주 다 갚았어요.

시임도 국수해서 갚는 거요?

시임도 처 당신 지금 뭘로 갚는다고 했어요?

시임도 당신……

시임도 처 오늘 이 식사도 변 선생 댁에서 빌려온 돈으로 마련하는 거예요.

시임도 경원, 당신 또 나 뭘 속이고 있소?

침묵.

하소산 (시임도에게) 우리 예전에 여자고등사범에서 수업할 때 자네는 동남대학에 갈 준비를 했지. 하루는 자네가 날 찾아와서, "삼 년 동안, 집에 거의 못 갔네. 집에 부인이 있는데 잘 못 보살피고 있어. 최근 동남대학에서 초빙 서한이 왔는데, 재삼 고려해봐도 망설여져서 결정을 못 하겠네. 계속 고민하느니 옛 사람들 양자 보내듯 부탁하는 게 낫겠더군."이라고 했어. 난 많이 놀랐지, 자네가 나한테 부인을 부탁하려는 줄 알고. 우리가 양강사범학당을 같이 졸업했어도 안 지는 일 년밖에 안 됐고, 자네가 나한테 부인을 부탁하면 난 어떻게 감당하겠나. 나중에서야 알았지만 자네는 나한테 학생을 부탁하려는 거였더군. 나더러 대신 수업해 달라고 말이야. 하하하……

변종주 이 또한 미담이군요. 사람들은 서로 돕고 도와야지요. 제 안사람이 어리석게 굴면 나중에 시임도 사모님께서 가르침 좀 주세요.

시임도 변 선생이 당신 또 뭘 도왔나? 오늘 다 말하시게. 차후에 나도 갚지.

변종주 시 선생님, 책 옮겨오시면 숨겨두지 마시고 우리도 보게 해주셔야 합니다.

시임도 (시임도 처에게) 이 편지 변 선생이 나보다 먼저 읽은 것 아니요?

변종주 아닙니다.

시임도 처 아니에요.

시임도 알겠소.

시임도 처 난 당신 이런 모습인 거 계속 지켜볼 수 없어요. 난 모든 방법을 다 생각해봤어요.

시임도 당신, 속임수에 넘어간 거요. 우린 사람들 속임수에 넘어갔다구. 자네가 속였어!

변종주 저도 도우려고 한 겁니다.

시임도 날 돕는 거요 아니면 장 공을 돕는 거요!

변종주 전 시 선생님과 교제하고 싶고, 장 총장이 중대에 이득을 도모하길 기대합니다. 잘못 됐습니까?

시임도 난 선생과 교제하고 싶지 않소. 나 한 사람조차도 장개석이 중대에 이득을 도모하는 걸 반대할 수가 없군.

변종주 하지만 선생님 책 보호하시도록 도울 수 있습니다.

하소산 그게 바로 자네 잘못일세. 이푸면도 먹었고, 돕고 싶으면 끝까지 도울 것이지, 연회에 가라고 그렇게 몰아댈 건 뭔가. 임도가 장개석 반대하는 거 뻔히 알면서.

변종주 바로 선생님이 장개석을 반대하니까 더 만나게 해

주고 싶었습니다.

시임도 그럼 소산한테는? 저 사람 데려가려고 연회에 금화 특산 절인 돼지도 준비해 놓구요.

변종주 제가 준비한 게 아닙니다. 선생님 먹는 거 좋아하시는 거 누가 모릅니까?

하소산 난 절인 돼지 먹으려고 그러는 게 아니야.

변종주 절인 돼지 때문이 아닙니까? 장 총장, 장 원장, 장 위원장, 장 총재, 장 총사령관, 차이가 있습니까? 선생님 첫째 정부고관도 아니고, 둘째 전방 장교도 아니신데, 그 사람이 선생님 초청해서 뭐하겠습니까?

하소산 난 그 사람을 총장으로 인정할 수가 없어요.

시임도 자네가 "장개석을 총장으로 인정할 수 없다"라고 입 밖으로 냈기 때문이지, 나중에 절인 돼지가 먹으러 가고 싶어졌지만, 체면 걱정에, 무슨 만약에 원장, 위원장이 청하면 간다하는 거고.

하소산 왜 다 나한테 그러나? 난 자네들한테 잘못한 거 없어.

시임도 처 이쯤에서 그만하세요. 다들 술 많이 드셨네요.

변종주 (시임도에게) 선생님 아직도 우리만 체면 차렸다 하십니까. 선생님이 여기서 제일 체면 차리셨어요.

장 공한테 체면 안 세워주시면, 장 공도 선생님 체면 안 세워줄 겁니다. 세상 이치가 그래요. 일을 되게 하고 싶으면 체면 따지지 마세요.

시임도 난 그 사람 체면 안 세워줄테요. 자네들 다 각자 체면 차리는데, 나는 내 체면 좀 차리면 왜 안 되나. 내 체면은 하늘보다 높네. 내 책, 자네들 중 옮겨만 온다면 다 드리겠네. 난 됐네. 활을 잃었으나 내 사람이 그를 주웠다면 말할 필요가 없지! 말할 필요가 없어!

하소산 저 사람 진짜야?

변종주 진짜예요 가짜예요?

시임도 처 이 사람 농담하는 거예요.

시임도 집 암전. 노년의 하, 시, 변 퇴장.

노년의 시임도 날이 정말 덥군.

노년의 변종주 어제보다 더 덥군요.

노년의 시임도 그러게, 갈수록 더 덥군.

시임도 집 조명 들어온다. 하소산 서서 곤극 〈장생전·탄사〉 '꽃 한 송이(一枝花)' 대목을 부른다.

하소산 (노래한다) 늘그막에 전란을 만나 갈림길에서 곤궁하네.

노년의 하소산 (노래한다) 거친 풍랑 전란 속에 얼굴은 검어지고, 늙고 병듦을 탄식하니 서리눈 내린 듯 머리와 수염이 하얗구나. 오늘 먼 곳을 떠도는 신세, 비파 소리만 남았구나.

끝

〈장 공의 체면〉

〈장 공의 체면〉은 2012년 중국 남경대학교 개교 110주년 기념 공연으로 첫 선을 보였다. 극작을 한 원팡이(溫方伊)는 당시 남경대학교 연극영화학과에 재학 중이었다. 그녀가 극작 수업 과제로 제출한 작품을 뤼샤오핑(呂效平) 교수가 눈여겨보아 제작, 연출을 하며 원팡이의 처녀작 〈장 공의 체면〉이 세상에 나오게 되었다.

지우링허우(90后)[1]가 쓴 이 대학극은 곧 입소문을 타고 전국순회공연을 시작하였으며, 2014년 루쉰문화상 연극부문 상을 수상하였고, 2017년 공연횟수 300회를 넘기며 '대학극의 기적'이라 는 수식어가 따라붙게 되었다.

〈장 공의 체면〉은 중국에서 오랜만에 사회적 반향을 일으킨 리얼리즘 연극이다. 중국은 라오서(老舍), 차오위(曹禺)

1 90년대 출생한 사람을 일컫는 말.

등 유수 극작가들과 베이징인민예술극원(北京人民藝術劇院)을 중심으로 오랜 리얼리즘 연극의 전통을 갖고 있다. 하지만 문화대혁명을 겪으며 리얼리즘 연극은 점차 공식화되고 경직되어 리얼리즘의 근원적 정신인 비판정신을 상실하게 된다. 80년대 개혁개방과 함께 브레히트를 비롯한 서구의 모더니즘과 실험극이 유입되면서 리얼리즘 또한 다양한 형식실험을 접목하는 동시에 '인간의 발견'을 추구하며 혁신에 힘쓴다. 하지만 시장경제 도입과 89년 천안문 사건의 발생으로 갑작스레 주어진 경제적 자유와 예상을 빗나간 정치적 제약 사이에서 90년대 중국 연극계는 다시금 침체기에 접어든다. 창작극은 급격히 감소하였고, 다수 극장은 이미 정평이 난 리얼리즘 명작의 재공연이나 사랑·연애 이야기를 다루는 상업극, 그리고 번역극 등을 무대에 올렸다. 반면 리얼리즘 본연의 비판정신은 90년대 선봉극(先鋒劇)[2]의 형식실험 속에 깊은 은유로 숨게 된다. 그러나 형식 속에 몸을 숨기던 은유마저 너무 깊이 몸을 숨긴 탓인지 어느 순간 메시지와 연결 고리가 끊겨 화려한 형식만 남은 창작물이 넘쳐나게 된다. 이로 인해 중국에서는 자국의 연극계 현실에 대해 '일류 무대미술과 이류 연출과 연기, 삼류 극작'이라는 개탄의 목소리가 나오기도 했다. 리얼리즘은 여전히 가장 많

2 멍징후이(孟京輝)로 대표되는 중국 90년대 실험연극을 지칭하는 말.

이 창작되는 장르이지만 더 이상 옛 영광을 찾을 수 없게 되었다.

이런 상황 속에서 〈장 공의 체면〉은 신선한 바람을 불러일으켰다. 〈장 공의 체면〉은 남경대학교 중문과 교수 세 명이 24년 전 장개석의 식사 초청에 응했는지에 대한 기억이 엇갈리면서 벌어지는 이야기이다. 〈라쇼몽〉[3]을 연상시키는 상이한 기억의 전개 과정은 과거 사건을 순차적으로 전개, 서술하는 추동력으로 기능한다. 작가는 이 서사구조를 통해 격변했던 중국의 두 시대를 효과적으로 엮어낸다. 가장 격동했던 두 시대, 중일전쟁과 문화대혁명은 극 장르 예술에서 자주 다루는 단골소재이다. 항일전쟁보다 공산당 탄압에 열중했던 국민당에 대한 반감이 극에 달하고 일본이라는 외부의 적에 맞서기 위해 내부의 단결이 절실했던 중일전쟁. 그리고 극좌적 집단 광기 속에 개인은 숨죽이고 있어야만 했던 문화대혁명은 중국이 경험한 정반대의 사회상이다. 두 시대는 그 자체로 극적 요소를 많이 내포하고 있기 때문에 각기 자주 극화되어 왔지만 두 시대를 한 작품 속에서 인지한 작품은 많지 않다. 〈장 공의 체면〉은 이 두 상반된 시대를 접합한다. 이를 통해 단절된 두 역사는 각기 하나의 '점'

---

3 구로자와 아키라 감독의 영화 〈라쇼몽〉은 하나의 현상을 대하는 서로 상이한 기억의 주관성을 부각시키며, 인간은 정직할 수 없고 이기적인 존재라는 메시지를 담아낸다.

에서 문득 '선'으로 연결된다. 이 '선'은 중국 땅에서 이를 온전히 몸으로 경험하며 통과한 개개인의 삶일 것이다. 물론 이 삶의 감수는 비단 중국의 전유물은 아니다. 한 개인이 삶의 무게를 이기고 살아가기 위해 취하는 무의식적 기억의 절취와 선택을 무겁지 않고 유쾌하게 다루어낸 것은 본 작품의 미덕이다.

하소산과 시임도, 변종주 교수 세 명의 선명한 캐릭터 또한 눈여겨볼 만 하다. 그간 근엄한 지식인의 전형으로 여겨진 교수들은 〈장 공의 체면〉에서 아이 같아 보일 정도로 때론 유치하게 때론 사랑스럽게 묘사된다. 또 시대 배경은 과거이지만 등장인물의 캐릭터는 중국 관객들에게 동시대 중국 지식인의 은유로 다가갔다. 첫 번째 유형은 '공지(公知)'라고 불리는 공공지식인(公共智識分子), 즉 공인으로서 사명감을 갖고 적극적으로 의견을 개진하며 사회참여를 하지만 지나친 사명감으로 모두를 가르치고 계몽하려는 태도를 보이는 지식인이다. 두 번째는 '5마오'라고 불리는 친정부적 유형이다. 이 명칭은 친정부 성향의 인터넷 글에 댓글을 달면 5마오의 돈을 받는다는 속설에서 유래했다. 세 번째는 모두 다 자신과 관계없다고 여기는 자유주의적 지식인 유형이다. 이 지식인들의 모습은 한국 독자들도 그리 낯설게 느끼진 않을 것 같다.

마지막으로 역사와 개인을 균형감 있게 전개한 것도 〈장 공의 체면〉이 가진 미덕 중 하나이다. 이 작품은 아는 만큼 보이는 작품이다. 등장인물들의 기억을 더듬는 과정에서 소환되는 역사와 고전 지식의 해박함은 작가가 대학생 시절 집필한 작품이라는 것에 새삼 탄복하게 만든다. 외국작품을 소개할 때, 작품이 가진 인류적 보편성은 간과할 수 없는 부분이다. 본 작품이 한국 관객들에게 받아들여질지에 대한 중국 친구들의 우려의 목소리 또한 많이 들었다. 그러나 동시대 중국을 느낄 수 있는 중국연극에 대한 한국연극인의 갈망 또한 많이 들어왔던 바, 중국의 특수성이 강하게 반영된 작품을 소개하는 것도 의미가 없진 않을 것이다. 한국 독자들의 이해를 돕기 위해 필요에 따라 역주 작업을 하였다.

역자는 2012년 남경대학교 초연 당시 본 공연을 보았고 〈한국연극〉 2014년 4월호에 번역본을 소개한 바 있다. 번역을 흔쾌히 허락해준 원팡이와 뤼샤오핑 교수님께 감사를 표한다.

본 번역본은 인명과 지명을 모두 한자음으로 표기하였다. 표준 표기법에 따르면 신해혁명 이후의 인명과 지명은 마땅히 중국어 독음으로 번역해야 하지만 본 작품의 인명이 중국어를 모르는 독자들에게 발음이 다소 어려울 것 같았다. 연극은 무대화될 때 그 존재의 의미를 다하게 된다. 언젠가 한국에서도 무대화되기를 바라는 마음으로 한국인이 발음하기에 좀 더 쉬운 한자독음을 사용했음을 밝힌다.

부족한 역자의 실력을 메워준 고마운 분들이 있다. 겨울 동안 오수경 선생님, 김우석 선생님과 서로의 작품을 낭독하며 윤문한 시간은 귀한 배움의 시간이었다. 번역에 대한 욕심은 많았으나, 아직도 부족하고 아직도 갈 길이 멀다는 것을 느낀다. 또 작품의 이해를 도와준 남경대 박사동기들, 초벌 번역을 함께 읽어준 난징중국연구회 후배들, 항상 나의 모든 글의 가장 빠른 독자가 되어 격려와 쓴 소리를 해주는 남편, 그리고 다 큰 딸 여전히 노심초사 바라보는 엄마에게 고마움을 표한다. 마지막으로 출판을 선뜻 허락해준 출판사 '연극과인간'에도 감사의 마음을 전한다.

역자 장희재

2018년 4월 8일

중국현대희곡총서 8

장 공의 체면

초판 1쇄 인쇄 2018년 5월 15일
초판 1쇄 발행 2018년 5월 21일

지은이 원팡이(溫方伊)
옮긴이 장희재
펴낸이 박성복
펴낸곳 도서출판 연극과인간
주소 01047 서울특별시 강북구 노해로25길 61
등록 2000년 2월 7일 제6-0480호
전화 (02)912-5000
팩스 (02)900-5036
홈페이지 www.worin.net
전자우편 worinnet@hanmail.net

ISBN 978-89-5786-646-7 04820
ISBN 978-89-5786-638-2 (세트)

값은 뒤표지에 있습니다.